Cymraeg TGAU – **Help** gydag astudio

Nodiadau astudio **gan Sioned Mair Jones**

@ebol

Cydnabyddiaethau

Golygwyd gan **Bethan Clement** ac **Eirian Jones**
Dyluniwyd gan Stiwdio Ceri Jones, **stiwdio@ceri-talybont.com**
Argraffwyd gan **Argraffwyr Cambria**

Noddwyd gan Lywodraeth Cynulliad Cymru

Cyhoeddwyd gan Atebol Cyfyngedig, Adeiladau'r Fagwyr, Llanfihangel Genau'r Glyn, Aberystwyth, Ceredigion SY24 5AQ
www.atebol.com

ISBN: 978-1-907004-92-6

CYNNWYS

1	Lleoliadau'r nofel	4
2	Morris Gleitzman	5
3	Cefndir a chyd-destun y nofel	6
4	Crynodeb o'r stori	10
5	Plot ac adeiladwaith	13
6	Cip ar y cymeriadau	16
7	Dadansoddiad o'r prif gymeriadau	19
8	Crynodeb o'r testun	28
9	Iaith ac arddull	41
10	Esbonio dyfyniadau pwysig	48
11	Cwestiynau arholiad	52
12	Atebion enghreifftiol i'r cwestiynau	60
13	Cwis	72
14	Atebion	75

1. Lleoliadau'r nofel

Mae'r nofel yn digwydd mewn nifer o wledydd. Dyma fap o'r byd er mwyn dangos pellter y gwledydd oddi wrth ei gilydd.

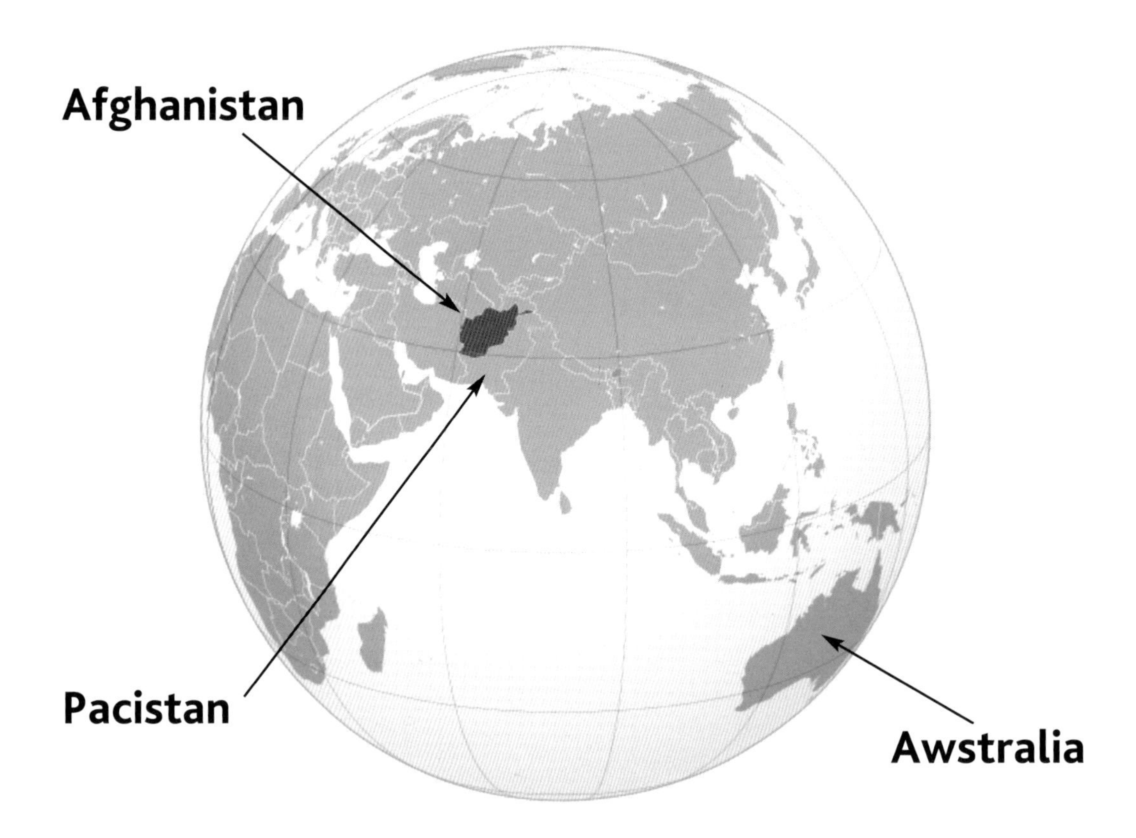

Afghanistan:

Cafodd Jamal a Bibi eu geni yn Afghanistan. Yma mae eu cartref ond mae'n rhaid iddyn nhw ddianc oherwydd ysgol anghyfreithlon eu rhieni.

Pacistan:

Nid yw Pacistan yn cael ei henwi yn y nofel ond mae'n fwy na thebyg mai dyma ble'r oedd y gwersyll ffoaduriaid enfawr. Cyrhaeddodd y teulu yma wedi dianc yn y tacsi.

Awstralia:

Roedd llongau'r ffoaduriaid yn mynd i Awstralia. Roedd y ffoaduriaid yn breuddwydio am gael bywyd gwell yno.

2. Morris Gleitzman

Mae Morris Gleitzman yn enwog am ysgrifennu llyfrau plant. Cafodd ei eni yn Lloegr (Swydd Lincoln) a symudodd i Awstralia gyda'i deulu pan oedd e'n 16 oed. Efallai mai dyna pam y mae ganddo ddiddordeb mewn ffoaduriaid a phobl sydd wedi gorfod gadael eu gwreiddiau.

Mae'r llyfrau'n realistig ac yn aml mae e'n trafod pynciau gwleidyddol neu hanesyddol dadleuol. Mae ei nofel ddiweddaraf yn trafod yr Holocost a phrofiadau bachgen yng Ngwlad Pwyl yn ystod cyfnod yr Ail Ryfel Byd. Mae ei nofelau'n gallu bod yn drist.

Mae e'n hoffi ymchwilio i arwriaeth. Mae e'n dod o hyd i wybodaeth am bobl ddewr sy'n wynebu problemau ac nid yn ceisio dianc rhag y problemau hynny. Mae'r sefyllfaoedd yn ei nofelau'n ddifrifol iawn ond mae Morris Gleitzman yn cyfuno hyn gyda hiwmor.

O edrych ar hanes yr awdur, mae'n hawdd gweld pam roedd digwyddiadau cyfoes yn Awstralia yn 2001 yn ysbrydoliaeth iddo ysgrifennu'r nofel 'Bachgen yn y Môr'.

3. Cefndir a chyd-destun y nofel

Mae'r nofel hon wedi cael ei gosod yn Afghanistan yn 2002 (blwyddyn ei chyhoeddi am y tro cyntaf yn Awstralia). Y prif gymeriadau yw Jamal a Bibi, brawd a chwaer sy'n byw yn Afghanistan. Mae'r dyfyniad yn dangos bod bywyd yn Afghanistan yn wahanol iawn i fywyd yng Nghymru.

> **"Rhaid bod Bibi wedi anghofio nad yw merched yn cael gadael y tŷ heb riant. Rhaid ei bod hi wedi anghofio bod yn rhaid i ferched guddio eu hwynebau bob amser pan fyddan nhw allan o'r tŷ. A rhaid ei bod hi wedi anghofio ei bod hi'n hollol anghyfreithlon i ferched chwarae pêl-droed."** *t.11*

Afghanistan

Roedd ymladd a lladd yn rhan o fywyd bob dydd i Jamal a Bibi ac roedden nhw'n chwarae o gwmpas yr arfau oedd wedi cael eu gadael ar ôl.

> **"Dwi'n gwenu, mynd heibio iddo, llywio'r bêl o gwmpas gard olwyn hen gerbyd milwyr, a gweld 'mod i o flaen y gôl."** *t.7*

Dyma brif ddigwyddiadau'r ymladd:

- rhyfel hir yn erbyn yr Undeb Sofietaidd (gydag America'n helpu Afghanistan)
- 1989 – yr Undeb Sofietaidd yn gadael
- rhyfel cartref rhwng gangiau o'r milisia a grwpiau crefyddol gwahanol
- 1996 – y Taliban yn goresgyn y brifddinas Kabul
- erbyn 2000 – y Taliban yn rheoli 95% o'r wlad
- 11 Medi 2001 – ymosodiad ar Ganolfan Masnach y Byd yn Efrog Newydd
- Hydref 2001 – Prydain ac America'n ymosod ar Afghanistan

Does dim rhyfedd nad yw Jamal yn sicr pwy yw'r gelyn wrth iddo ddod ar draws tanc ym mhennod 2:

> **"... rhai America neu Rwsia neu Brydain neu Iran. Nid bod llawer o wahaniaeth. Alla i ddim cofio pwy sydd ar ein hochr ni eleni beth bynnag."** *t.17*

Wedi blynyddoedd o ymladd roedd Afghanistan yn gallu bod yn beryglus tu hwnt. Roedd ffyrdd, pontydd ac adeiladau wedi cael eu dinistrio ac roedd newyn a phrinder dŵr yn broblem. Roedd ffrwydron tir wedi cael eu gadael ar hyd a lled y wlad ac yn parhau i fod yn beryglus. Roedd Yusuf, yn y nofel, wedi dioddef oherwydd hyn.

Y Llywodraeth

Nid yw'r Taliban yn cael ei enwi o gwbl yn y nofel 'Bachgen yn y Môr' ond dyma yw'r "llywodraeth" sy'n cael ei enwi mor aml ac yn achosi gymaint o ofn i Jamal.

Newidiodd bywyd pobl Afghanistan yn llwyr dan lywodraeth y Taliban. Roedd y rheolau'n llym iawn. Bellach, nid oedd merched yn cael mynd i'r ysgol ac nid oedden nhw'n cael bod allan o'r tŷ heb aelod gwrywaidd o'r teulu. Rôl y merched oedd gofalu am y dynion a'r bechgyn yn eu teuluoedd. Doedd merched ddim yn cael mynd i'r ysgol. Cafodd llyfrau eu llosgi yn y strydoedd. Nid oedd pobl yn cael gwrando ar gerddoriaeth na gwylio'r teledu. Dyna pam mae Jamal mor ofnus wrth i'w chwaer ymuno yn y gêm bêl-droed gyda'r bechgyn. Dyna pam mae'n rhaid cadw ysgol rhieni Jamal a Bibi yn gyfrinachol.

Roedd torri rheolau'r Taliban yn golygu canlyniadau difrifol iawn Roedd merched yn cael eu chwipio'n gyhoeddus am dorri'r rheolau. Y gosb fwyaf eithafol oedd y dienyddiadau cyhoeddus oedd yn digwydd yn stadiwm bêl-droed y brif ddinas, Kabul. Yn y nofel, mae mam Jamal a Bibi yn agos iawn at gael ei dienyddio yn y ffordd yma:

"Ar ben arall y maes mae'r milwyr yn gwneud i'r menywod eraill benlinio hefyd. Maen nhw'n anelu drylliau at gefnau eu pennau nhw hefyd. Yn barod i saethu." *t.79*

Dianc

Penderfynodd miloedd o drigolion Afghanistan ddianc o'r wlad. Y cam cyntaf oedd mynd i fyw i wersylloedd enfawr ym Mhacistan ac Iran cyn ceisio dianc ymhellach. Ond, roedd hi'n amhosibl i lawer adael y gwersylloedd hyn.

Roedd eraill yn fwy penderfynol o adael. Roedden nhw'n talu arian mawr i smyglwyr oedd yn addo bywyd gwell mewn gwlad bell. Roedd llawer yn teithio am filoedd o filltiroedd o dan amodau ofnadwy. Yn aml, wedi cyrraedd y wlad newydd, doedd dim croeso iddyn nhw. Hanes un o'r teithiau hyn sy'n y nofel 'Bachgen yn y Môr'.

Pen y daith?

- 2001, newid ym mholisïau Llywodraeth Awstralia tuag at fewnfudwyr
- John Howard, arweinydd y Llywodraeth, yn dweud y byddent yn ymdrin â mewnfudwyr anghyfreithlon a ffoaduriaid yn llym iawn
- gorchymyn i longau milwrol warchod arfordiroedd Awstralia ac i sicrhau nad oedd llongau ffoaduriaid yn cael glanio
- Medi, 2001 digwyddiad 'Plant yn y Môr' – llong filwrol yn dod o hyd i long o ffoaduriaid ar ei ffordd i Awstralia
- y llong mewn trafferthion, y llong filwrol yn saethu tuag at y ffoaduriaid er mwyn perswadio'r llong i droi'n ôl
- Llywodraeth Awstralia yn honni bod y ffoaduriaid wedi taflu plant i'r môr i geisio eu perswadio i fynd â nhw i Awstralia, ond doedd hyn ddim yn wir
- mewn ychydig wythnosau, suddodd llong bysgota oedd ar ei ffordd o Indonesia i Awstralia – 350 o ffoaduriaid yn boddi, 150 ohonyn nhw yn blant
- achub rhai ffoaduriaid wedi iddynt fod yn y dŵr am 21 awr.

Mae Morris Gleitzman yn dweud yn y rhagymadrodd i'r nofel hon mai 'stori sydd wedi ei chreu' ydy 'Bachgen yn y Môr'. Serch hynny, mae'n siwr bod y digwyddiadau uchod wedi ysbrydoli'r digwyddiadau ar ddiwedd y nofel i raddau helaeth. Ymgais yr awdur i uniaethu â dioddefaint ffoaduriaid sydd wedi dioddef sefyllfaoedd anodd tu hwnt wrth ddianc o'u cartrefi yw'r nofel hon, ac mae wedi defnyddio ffoaduriaid Afghanistan fel enghraifft cyfoes i wneud hynny.

> ***"Stori yw hon. Nid stori am deulu go iawn, ond stori dw i wedi'i chreu. Ond allwn i byth fod wedi'i hysgrifennu hi heb help y bobl a fuodd mor garedig â sôn am eu teithiau rhyfeddol."*** *t.5*

4. Crynodeb o'r stori

Ddechrau'r nofel 'Bachgen yn y Môr' – bechgyn yn chwarae pêl-droed. Manchester United a Newcastle United yw'r timau y dydd hwnnw – Jamal wrth ei fodd yn esgus chwarae i'w hoff dîm.

Y bechgyn yn chwarae pêl-droed o amgylch hen gerbydau milwyr, rwbel rhyfel a thanciau.

Ofn ar Jamal a'i ffrindiau pan mae Bibi, chwaer Jamal yn dod atyn nhw i chwarae.

Merched ddim yn cael bod allan heb dywysydd yn Afghanistan.

Pêl-droed i ferched wedi ei wahardd yn llwyr gan Lywodraeth y Taliban; cael ei dal yn chwarae pêl-droed yn golygu cosb ddifrifol i Bibi.

Bywyd i Jamal, Bibi a'u teulu yn anodd iawn yn Afghanistan.

Ar ôl y gêm – mynd adref at eu rhieni.

Rhieni'n dweud bod rhaid dianc – y Llywodraeth wedi darganfod ysgol anghyfreithlon rhieni Jamal a Bibi.

Plant yn cuddio yn nhŷ eu ffrind Yusuf – aros i gychwyn eu taith; eu cartref yn cael ei ffrwydro gan y Llywodraeth.

Heb yn wybod iddyn nhw – eu mam wedi cael ei chipio – mynd â hi i stadiwm bêl-droed Kabul.

Tyrfa yn y stadiwm – Jamal yn meddwl bod ei fam yn ceisio perswadio'r Llywodraeth i roi cyfle iddo fel pêl-droediwr enwog.

Ond y stadiwm yn llawn o bobl oedd yn barod i weld merched yn cael eu dienyddio am dorri rheolau'r Llywodraeth.

Mam Jamal a Bibi ar fin cael ei chosbi – eu tad yn ei hachub mewn tacsi a dod o hyd i'r ddau blentyn cyn cychwyn ar eu taith.

Taith beryglus a hir yn y tacsi o Afghanistan – teulu'n llwyddo i gyrraedd gwersyll enfawr i ffoaduriaid mewn gwlad arall.

Yn y gwersyll – plant yn deall eu bod yn mynd i ddianc i Awstralia.

Miloedd yn dioddef dan amodau ofnadwy yn y gwersyll – Jamal yn cwrdd ag Omar.

Omar yn dwyn pêl-droed werthfawr Jamal.
Teulu'n talu llawer o arian i smyglwyr anghyfreithlon sy'n addo mynd â nhw i Awstralia.

Taith amhleserus ar awyren i gyrraedd y porthladd – mae Jamal yn deall bod ei fam wedi gwerthu canhwyllbren werthfawr y teulu er mwyn cael digon o arian i dalu am y daith.
Wedi cyrraedd y porthladd – y ffoaduriaid yn cael eu cadw ar y cei am ddydd cyfan – aros i gael mynd ar fwrdd dwy hen long.
Pêl Jamal yn diflannu eto – chwilio amdani – Jamal a Bibi yn cael eu gwahanu oddi wrth eu rhieni.
Bibi'n syrthio i'r dŵr – Jamal yn neidio mewn i'w hachub.
Y plant mewn perygl am ychydig ond yn cael eu hachub a'u codi ar fwrdd llong.
Y plant a'r rhieni ddim ar yr un llong – y teulu ar y ffordd i Awstralia ond ar wahân. Ar y llong, Jamal a Bibi yn gweld Omar unwaith eto.
Omar wedi achub pêl Jamal – dod yn ffrindiau â merch yn ei harddegau o'r enw Rashida.
Y pedwar yn gofalu am ei gilydd ar y fordaith – anodd achos does dim rhiant gan yr un ohonyn nhw.
Pethau ddim yn dda ar fwrdd y llong – Jamal yn sylweddoli'n fuan bod yr hen long yn gollwng dŵr.

Y broblem nesaf – y smyglwyr yn gwrthod symud y llong – eisiau mwy o arian gan y teithwyr.
Rashida'n talu am y pedwar – diogel am gyfnod – môr-ladron oedd yn cydweithio â'r smyglwyr yn ymosod ar y llong – gadael y llong ynghanol y môr – tri morwr yn unig ar ôl.
Llong yn dechrau suddo – rhaid i'r plant gychwyn gweithio o ddifrif er mwyn goroesi.
Pethau'n edrych yn ddrwg iawn arnynt – llong ryfel o Awstralia yn agosáu – llwyddo i achub y pedwar plentyn o'r dŵr.

Wedi cyrraedd tir sych – rhai problemau'n parhau.
Meddwl eu bod wedi cyrraedd Awstralia'n ddiogel, ond newyddion drwg – y llong arall wedi suddo – neb yn gwybod beth ddigwyddodd i'r rhai oedd ar ei bwrdd.
I wneud pethau'n waeth, Andrew (oedd wedi achub Jamal a Bibi oddi ar y llong) yn dweud wrth y plant **nad ydyn nhw** yn Awstralia wedi'r cyfan.
Llywodraeth Awstralia'n gwrthod gadael ffoaduriaid i mewn i'r wlad – teithwyr i gyd yn mynd i gael eu cadw ar ynys fechan yn y Cefnfor Tawel nes i'r Llywodraeth benderfynu ar eu tynged.

Diweddglo hapusach i'r nofel – plant yn gweld llong filwrol arall yn agosáu at yr ynys – llong yn cario'r ffoaduriaid a oedd wedi byw ar ôl i'r llong arall suddo.
Rhieni Jamal a Bibi yn fyw. O'r diwedd mae'r plant yn cael gweld eu rhieni unwaith eto ac mae'r teulu gyda'i gilydd ar yr ynys.

5. Plot ac adeiladwaith

Plot

Mae pêl-droed yn bwysig iawn i lawer o brif gymeriadau'r nofel. Trwy ddilyn y bêl rydyn ni'n gallu dilyn ein ffordd trwy blot y nofel 'Bachgen yn y Môr'.

Y bechgyn yn chwarae gyda'r bêl yn yr anialwch pan mae Bibi yn ymuno â'r gêm ac mae'r bêl yn mynd ar goll o dan y tanc.

Wrth gyrraedd yn ôl i'r pentref mae Mr Nasser yn cymryd y bêl ac yn eu cyhuddo o dorri ffenestr. Wrth geisio dadlau mae Jamal yn torri ffenestr arall.

Pan mae Jamal i fod yn cuddio yn nhŷ Yusuf mae'n mynd allan i ymarfer ei sgiliau. Mae Bibi yn ymuno ag ef, yn rhoi cic i'r bêl sy'n taro drws eu tŷ nhw wrth i'r tŷ ffrwydro.

Mae Jamal yn penderfynu ymarfer ei sgiliau pêl-droed yn y gwersyll ffoaduriaid pan mae Omar yn dwyn ei bêl. Mae Jamal yn dilyn Omar ac yn mynd ar goll. Mae e'n gweld dynion y Groes Goch.

Mae Omar yn cytuno mynd â Jamal yn ôl at ei deulu, ond bydd rhaid iddo roi'r bêl iddo fel tâl.

Cyn mynd ar y cychod i Awstralia, mae Omar yn dod ar draws Jamal a Bibi unwaith eto gan ofyn am y bêl. Wrth ddadlau mae'r bêl yn cael cic gan Bibi i'r dŵr. Mae'r tri yn ceisio achub y bêl ac mae Omar yn disgyn i'r dŵr. Wrth geisio achub Omar, mae Bibi a Jamal yn cael eu taflu i'r dŵr hefyd.

Mae Omar yn rhoi'r bêl wlyb yn ôl i Jamal ar y cwch.

Ar ôl i Rashida ymuno â nhw mae Jamal yn dysgu sgiliau pêl-droed iddi. Mae Rashida'n dysgu sut i fownsio pêl ar ei glin.

Pan mae'r môr-ladron yn ymosod ar y llong ac mae'r merched mewn perygl – eu sgiliau pêl nhw sy'n llwyddo i berswadio'r môr-ladron mai bechgyn yw Bibi a Rashida.

Mae'r môr-leidr yn ceisio cymryd y bêl oddi ar Jamal ond mae Jamal yn ei daclo yn ddifeddwl ac mae e'n cael cic gas yn ei glun.

Mae Jamal a Bibi ar y llong ryfel wedi iddyn nhw gael eu hachub gan Andrew. Maen nhw'n meddwl bod Omar wedi boddi ac maen nhw'n cael sioc pan mae e'n dod â'r bêl yn ôl i Jamal.

Mae Jamal yn hapus iawn o fod yn y gwersyll ac mae wrth ei fodd yn cael gêm fawr o bêl-droed rhwng y milwyr a'r ffoaduriaid. Mae'n chwarae'n dda ac yn sgorio gôl wych wrth i'r newyddion dorri fod yr ail gwch wedi suddo.

Er mwyn ceisio cysuro Jamal mae Rashida yn achub y bêl o'r ffens ac yn ei dychwelyd iddo – ond dydy hi ddim yn bosibl cysuro Jamal, mae'n rhy drist.

Mae Andrew yn ymddiheuro i Jamal am y modd roedd Awstralia wedi gadael y ffoaduriaid i lawr (yn ei farn ef) ac mae Andrew yn trwsio'r bêl iddo. Mae'n defnyddio darn o glwtyn o faner Awstralia (sy'n symbol o obaith fel arfer yn y nofel) er mwyn trwsio'r bêl.

Adeiladwaith

Mae strwythur y nofel yn eithaf syml gyda phrif gymeriad (Jamal) yn adrodd hanes y digwyddiadau yn gronolegol wrth iddyn nhw ddigwydd. Yr hyn sy'n dal sylw'r darllenydd yw bod cyflymder i'r digwyddiadau ac mae rhywbeth yn digwydd o hyd. Pan mae'n ymddangos nad yw pethau'n gallu mynd yn waeth mae rhywbeth arall yn digwydd. Mae her newydd neu ddigwyddiad gwahanol ymhob pennod. Mae'r penodau'n eithaf byr ac wrth i'r digwyddiadau fynd hyd yn oed yn fwy cyffrous erbyn diwedd y nofel mae'r penodau yn mynd yn fwy byr eto. Mae'r dull yma o rannu'r nofel yn sicrhau bod gan y digwyddiadau fomentwm pendant sy'n cadw sylw'r gynulleidfa.

6. Cip ar y cymeriadau

Jamal (Houssini)

Jamal ydy prif gymeriad y nofel. Rydyn ni'n dilyn hanes Jamal a'i deulu wrth iddyn nhw ddianc o'u cartref yn Afghanistan i chwilio am fywyd gwell a mwy diogel yn Awstralia. Breuddwyd Jamal yw bod yn seren bêl-droed enwog. Mae'n gymeriad ffyddlon a phenderfynol. Mae'n falch iawn o'i deulu a'i hynafiaid er ei fod yn gallu bod yn ddiniwed iawn ar adegau.

Bibi (Houssini)

Mae Bibi yn chwaer fach i Jamal. Mae'n gymeriad penderfynol ac annibynnol. Fel ei brawd, mae hi'n hoffi chwarae pêl-droed ac nid yw'n gweld pam y dylai ddilyn rheolau'r Llywodraeth trwy beidio ymarfer ei sgiliau. Mae Bibi yn casáu pob math o annhegwch a does dim ofn colli ei thymer arni. Mae personoliaeth Bibi yn rhoi'r cymeriadau mewn sefyllfaoedd peryglus yn ystod y nofel.

Tad Jamal a Bibi (Mohammed Houssini)

Pobydd a dyn tacsi yw tad y plant. Mae'n falch iawn o'i grefft fel pobydd a'r ffaith mai pobyddion oedd ei hynafiaid i gyd. Mae'n gymeriad teg iawn ac mae wedi colli ei deulu (ei rieni a'i frodyr) yn y rhyfel. Mae'n gymeriad dewr iawn – roedd e'n defnyddio'r tacsi i gasglu'r disgyblion i fynd i'r ysgol anghyfreithlon ac roedd e'n ddewr iawn hefyd pan achubodd ei wraig o'r stadiwm. Mae'n gymeriad sensitif iawn ac wrth adael ei gartref am y tro olaf mae'n ffarwelio â ffwrn ei hynafiaid.

Mam Jamal a Bibi (Fatima Houssini)

Hi yw'r athrawes yn yr ysgol anghyfreithlon. Mae hi'n teimlo'n gryf am y sefyllfa yn Afghanistan. Daeth hi'n agos at gael ei dienyddio am yr hyn yr oedd wedi ei wneud – mae hi'n gymeriad egwyddorol a chryf. Serch hynny, mae hi'n gafael yn dynn yn Bibi wrth i'r teulu gasglu eu heiddo cyn gadael eu cartref ac mae hi'n sicrhau bod canhwyllbren ei theulu (rhyfelwyr yr anialwch) yn ddiogel ganddi. Roedd hi'n ofnus ar y daith. Doedd hi ddim yn siwr a ddylai ymddiried yn y smyglwyr ac roedd hi'n drist achos bod rhaid iddi werthu'r ganhwyllbren.

Yusuf

Mae Yusuf yn ffrind ffyddlon i Jamal a Bibi. Nid yw'n rhedeg i ffwrdd fel y bechgyn eraill pan oedd Bibi yn chwarae pêl-droed gyda nhw. Mae Yusuf wedi dioddef yn fawr oherwydd y rhyfel – mae wedi colli coes oherwydd ffrwydryn tir ac mae'r awdur yn awgrymu ei fod hefyd wedi colli ei rieni.

Tad-cu Yusuf

Mae Yusuf yn byw gyda'i dad-cu ac yn nhŷ tad-cu Yusuf mae Jamal a Bibi yn aros y noson gyntaf wedi iddyn nhw ddianc o'u cartref. Mae Tad-cu wrth ei fodd gyda phopeth gorllewinol – yma mae Jamal yn gallu gwylio gemau pêl-droed o Brydain ar ei deledu lloeren anghyfreithlon yn y seler ac mae lluniau o'r Simpsons a Llundain ar y waliau.

Muzza, Aziz a Zoltan

Dyma ffrindiau Jamal. Nhw sy'n chwarae pêl-droed gyda fe yn y bennod gyntaf. Dydyn nhw ddim yn dangos yr un ffyddlondeb â Yusuf ac maen nhw'n rhedeg i ffwrdd achos roedden nhw'n ofni cael eu dal yn chwarae pêl-droed gyda merch. Mae'r tri chymeriad yma'n dangos gymaint o ofn roedd Llywodraeth Afghanistan yn ei godi ar y bobl.

Omar

Rydyn ni'n cwrdd ag Omar am y tro cyntaf yn y gwersyll i ffoaduriaid pan mae'n dwyn pêl Jamal. Wedi i Jamal golli ei deulu mae Omar yn ceisio hawlio'r bêl fel tâl am ffeindio rhieni Jamal. Yn y porthladd cyn dal y llong, mae Omar yn ceisio cymryd y bêl unwaith eto. Mae Omar yn dangos ei natur benderfynol wrth geisio achub y bêl o'r dŵr ac erbyn iddyn nhw ei weld y tro nesaf ar y llong maen nhw'n ffrindiau. Mae Omar yn gymeriad eithaf negyddol ac yn tueddu i edrych ar ochr dywyll pob sefyllfa. Ar ddiwedd y nofel, mae'n glir bod Omar wedi dweud celwydd ar hyd y daith – nid oes ganddo deulu ar y llong arall, roedd ei rieni wedi marw pan oedd yn ddwy oed ac roedd wedi twyllo er mwyn ceisio dianc i Awstralia.

Rashida

Mae Rashida yn ferch sy'n hŷn na Jamal, Bibi ac Omar ac mae hi'n wahanol i neb a welodd Jamal erioed o'r blaen. Mae awgrym bod Jamal yn hoffi Rashida yn fawr. Y peth cyntaf mae hi'n ei wneud yn y nofel yw rhoi blanced ar dân mewn camgymeriad. Does dim llawer yn ei phoeni. Mae'n meddwl y byd o'i rhieni ac maen nhw wedi talu iddi ddianc ar ei phen ei hun o Afghanistan. Roedd Rashida wedi bod yn byw yn Awstralia o'r blaen pan oedd hi'n blentyn ond roedd hi wedi dychwelyd i gartref ei rhieni i ofalu am ei theulu. Mae hi'n berson hael ac mae hi'n rhannu ei bwyd gyda'r tri phlentyn. Pan mae'r smyglwyr yn eu gorfodi i dalu mwy am eu tocyn hanner ffordd drwy'r fordaith mae Rashida yn defnyddio ei horiawr werthfawr i dalu dros y pedwar ohonyn nhw. Ar ddiwedd y nofel mae hi'n dangos ei charedigrwydd eto wrth iddi gysuro Jamal a Bibi pan maen nhw'n meddwl bod eu rhieni wedi boddi.

Andrew

Mae Andrew yn achub y plant oddi ar y llong ffoaduriaid wrth iddi suddo. Mae e hefyd yn gofalu amdanyn nhw ar y llong filwrol. Er ei fod yn dod o Awstralia mae'n gallu siarad iaith Afghanistan wedi iddo ei dysgu mewn dosbarthiadau nos. Mae Andrew yn teimlo'n euog achos dydy Awstralia ddim yn croesawu'r ffoaduriaid ac mae'n ceisio ymddiheuro i Jamal. Andrew yw'r cymeriad sy'n cael ei ddefnyddio i ddangos y parch sydd gan yr awdur at y rhai hynny sy'n ceisio rhoi cymorth i ffoaduriaid – ***"i ddangos cymaint dw i'n edmygu'r oedolion sy'n eu croesawu ar ben eu taith."*** *(t.5)*

7. Dadansoddiad o'r prif gymeriadau

Jamal	
teg	Pan mae Bibi yn ymuno â gêm bêl-droed y bechgyn yn y bennod gyntaf mae Jamal yn ceisio peidio â gwylltio gyda hi **"Wedyn dw i'n cofio mai dim ond naw oed yw hi. Ddwy flynedd yn ôl roeddwn i'n arfer drysu ac anghofio pethau hefyd. Rhaid bod Bibi wedi anghofio nad yw merched yn cael gadael y tŷ heb riant."** (t.11)
gofalus	Mae Jamal yn ofalus iawn o'i deulu ac o Bibi yn arbennig. Yn ystod y nofel mae'n rhaid i Jamal achub Bibi pan mae hi mewn trafferth. Rydyn ni'n gallu gweld cymaint mae'n poeni am ei chwaer ar ôl i Bibi ddiflannu i chwilio am y bêl heibio i'r crater roced yn yr anialwch **"Plîs, dwi'n ymbil yn dawel ar y ffrwydron tir. Peidiwch â gadael iddi gamu arnoch chi. Dim ond naw oed yw hi. Dyma'r tro cyntaf iddi fod yn yr anialwch. Byddwch yn garedig."** (t.14)
dewr	Mae Jamal yn ofnus iawn wrth sefyll o flaen y tanc yn yr anialwch yn ceisio cael ei bêl yn ôl ond er gwaethaf ei ofn mae'n mynnu cael y bêl yn ôl **"'Paid â phoeni,' meddaf dan grynu. 'Fe gaf i'r bêl'."** (t.20) Er mwyn goresgyn ei ofn mae Jamal yn defnyddio hynafiaid ei fam oedd yn Rhyfelwyr yr Anialwch fel ysbrydoliaeth ac yn penderfynu ei fod yn mynd i ofyn am ei bêl yn ôl **"Dw i'n ceisio peidio dangos i'r tanc pa mor ofnus dw i. Dw i'n ceisio gwneud fy hunan mor dal ag y gallaf..."** (t.21)

	Rydyn ni'n gweld yr un dewrder gan Jamal pan mae'n mynnu cymryd lle Bibi ar y ffrwydryn tir er mwyn achub ei bywyd **"O'r gorau, llithra dy droed oddi ar y plât metel wrth i mi lithro fy nhroed arno."** (t.28)
breuddwydiol	Er bod Jamal yn ddeallus iawn mae hefyd yn gallu bod yn freuddwydiol iawn ac rydyn ni'n gallu gweld ei fod yn gallu bod yn anaeddfed. Breuddwyd Jamal yw bod yn bêl-droediwr enwog ac mae'r freuddwyd hon yn rhoi gobaith iddo drwy'r nofel. Y noson cyn iddyn nhw ddianc o'r pentref mae Jamal a Bibi yn cuddio yn nhŷ tad-cu Yusuf ac mae'n gwylio pêl-droed ar deledu lloeren pan mae'n penderfynu y bydd yn gallu achub ei deulu trwy ddod yn seren bêl-droed **"Os gallaf ddod yn seren tîm pêl-droed cenedlaethol Afghanistan... efallai na fydd unrhyw un ohonom yn cael ein bygwth neu ein bwlio neu ein lladd fyth eto, ddim gan y llywodraeth na neb arall."** (t.55)
deallus	Ar ôl i'w rhieni gyrraedd yn ôl i'r siop wedi digwyddiad y stadiwm mae tad Jamal yn cychwyn peintio drws gwyrdd y tacsi yn goch. Mae Jamal yn sylweddoli ar unwaith pam mae'n gwneud hynny ac yn dal diferion y paent rhag ofn iddyn nhw adael cliwiau i'r heddlu. Mae ei dad yn ei longyfarch am hyn sy'n gwneud Jamal yn hapus. **"'Da iawn ti am feddwl am y peth,' medd Dad o dan ei wynt."** (t.85)

caredig	Pan mae Omar yn dwyn pêl Jamal ac mae Jamal yn ei ddilyn i ran arall o'r gwersyll mae'n dychryn o weld y dioddefaint sy'n y rhan honno o'r gwersyll. Mae'n cymryd bod y bobl i gyd yn sâl iawn a'u bod angen cymorth ar unwaith. Mae'n mynd ati i chwilio am feddyg ac mae'n gweld tryc y Groes Goch ac yn gofyn iddyn nhw am help. (t.96)
penderfynol	Ar ôl i'r don enfawr dorri ar ddec y cwch mae Jamal yn gweithio'n galed i geisio sicrhau nad ydy'r cwch yn suddo. Mae'n meddwl am hynafiaid ei dad oedd yn bobyddion ac yn pobi bob bore pan oedden nhw angen mwy o gwsg ac mae'n benderfynol o beidio rhoi'r ffidil yn y to **"Doedden nhw byth yn rhoi'r gorau iddi a dw innau ddim yn mynd i wneud hynny chwaith."** (t.170)
balch	Mae Jamal yn edrych yn ôl i orffennol ei deulu yn aml yn y nofel i chwilio am ysbrydoliaeth. Rhyfelwyr yr Anialwch oedd hynafiaid ei fam a Phobyddion oedd hynafiaid ei dad ac yn ystod ei anturiaethau mae'n ceisio penderfynu pwy fydd fwyaf o werth iddo. Ar ddiwedd y nofel mae Omar yn gofyn iddo os mai Rhyfelwr neu Pobydd yw ef ac mae Jamal yn ateb ei fod yn ychydig o'r ddau (t.197). Mae Jamal yn falch o draddodiadau ei deulu ar y ddwy ochr.

Bibi	
penderfynol	Mae Bibi yn benderfynol o dorri rheolau'r Llywodraeth. Mae hi'n ymuno mewn gêm bêl-droed gyda'r bechgyn ym mhennod gyntaf y nofel er bod hyn wedi ei wahardd yn y wlad. Mae Jamal a'i ffrindiau yn cael ofn pan maen nhw'n ei gweld hi'n chwarae ond yr unig ateb sydd ganddi yw **"Dw i wedi cael llond bol ar aros yn y tŷ, dw i eisiau chwarae pêl-droed. Dewch, y talpiau meddal o gaca camel, dewch i 'nhaclo i."** (t.10)
di-feddwl	Yn aml iawn, nid ydy Bibi yn meddwl am ganlyniadau yr hyn mae hi'n ei wneud. Mae hi'n ymuno gyda'r bechgyn ac yna'n rhedeg ar ôl y bêl heb feddwl dim am y perygl y mae hi'n ei achosi i'w theulu a'i ffrindiau. Mae hi'n gwylltio gyda Jamal am ei dilyn i nôl y bêl ond pan mae Jamal yn esbonio'r perygl iddi, mae hi'n ateb yn drist **"Feddyliais i ddim am hynny."** (t.16)
ffyddlon	Mae Jamal wedi rhyddhau Bibi oddi ar y ffrwydryn tir ac wedi gorchymyn iddi fynd adref. Er ei bod yn cychwyn dianc gyda Yusuf mae hi'n penderfynu nad yw hi'n gallu gadael ei brawd **"Alla i ddim, dw i ddim eisiau dy adael di."** (t.31)

teg	Mae annhegwch yn gwylltio Bibi. Dydy hi ddim yn gallu deall rheolau'r Llywodraeth sy'n gwahaniaethu rhwng bechgyn a merched a dyna pam mae hi'n gwrthod eu derbyn. Mae hi'n casáu tryciau oherwydd bod tryc wedi cludo tad ei ffrind Anisa i ffwrdd (t.33) a does ganddi ddim ofn dangos hynny trwy daflu cerrig at y tryc. Rydyn ni'n gallu gweld hefyd ei bod wedi gwylltio bod ei thad wedi talu i Mr Nasser am y ddwy ffenestr pan mai dim ond un ffenestr roedden nhw wedi ei thorri **"'Mae'n rhaid i ni ddweud wrth Mam a Dad mai dim ond un ffenestr dorron ni,' poera a'i llygaid yn disgleirio'n ffyrnig."** (t.40)
dewr	Mae Jamal yn ceisio achub Omar sydd wedi disgyn i'r dŵr yn y cei wrth geisio achub y bêl. Dydy'r morwyr ddim yn deall Jamal nac yn ceisio helpu Omar felly mae Jamal yn cymryd polyn y morwr er mwyn ceisio ei achub ei hun ond mae'r morwr yn taro Jamal i'r llawr. Mae hyn yn gwylltio Bibi ac mae hi'n ymosod ar y morwr ac yn cael ei thaflu i'r môr **"...dw i'n gweld Bibi yn cicio'r morwr. Mae'n ei bwrw i lawr. Mae hi'n cicio yn ei goes ac yn ei chnoi. Mae e'n ei chodi ac yn ei thaflu dros ei ysgwydd."** (t.131)
gwyllt	Mae tymer gwyllt gan Bibi a phan mae rhywun yn ei gwylltio mae hi'n colli rheolaeth. Mae'r morwyr a'r smyglwyr yn gwrthod gwneud unrhyw beth i geisio stopio cwch rhieni Jamal a Bibi. Wrth iddi ddeall eu bod yn mynd i gael eu gwahanu oddi wrth eu rhieni mae Bibi yn gweiddi'n wyllt ar y morwr **"Y llysnafedd o ben ôl llyffant, ddylai pobl fel chi ddim cael gweithio ar gychod! Dydych chi ddim yn ffit i weithio ar fysus!"** (t.137)

Yusuf	
ffyddlon	Mae Yusuf yn ffrind ffyddlon i Jamal a Bibi. Mae gweddill ffrindiau Jamal yn dianc yn gyflym pan mae Bibi yn ymuno â nhw i chwarae pêl-droed ond mae Yusuf yn aros gyda nhw.
dewr	Mae Yusuf wedi dioddef yn fwy na neb oherwydd y rhyfel yn Afghanistan am ei fod wedi colli coes oherwydd ffrwydryn tir ac am ei fod wedi colli ei rieni. Er hynny, mae Yusuf yn parhau i chwarae gyda'r bechgyn a phan mae angen achub Bibi mae'n ufuddhau yn syth i Jamal pan mae'n gofyn iddo fynd â Bibi adref. **"Mae'n rhoi ei faglau yn y naill law ac yn cydio yn Bibi â'r llall."** (t.30)
di-gŵyn	Mae Yusuf wedi cael bywyd caled ond mae'n gwrthod cwyno. Pan mae Jamal yn dweud ei fod ef a Bibi yn lwcus o gymharu â llawer gan fod ganddynt do ar eu tŷ, dwy goes a dau riant yn fyw yr unig ateb sydd gan Yusuf yw **"'Mae to ar ein tŷ ni o hyd,' medd Yusuf yn ddig."** (t.35) Nid yw Yusuf yn hoffi pobl yn tosturio wrtho a'i ateb i'r digwyddiad yma yw ceisio gwneud iddyn nhw chwerthin trwy wneud synau gyda'i geseiliau.
caredig	Roedd pêl Yusuf wedi ffrwydro gyda chartref Jamal a Bibi ac mae Jamal yn ceisio rhoi ei bêl ef iddo yn ei lle. Mae Yusuf yn gwrthod cymryd y bêl **"Fe fydd ei hangen hi arnoch chi lle rydych chi'n mynd."** (t.63)

Omar	
twyllodrus	Er ein bod yn darganfod yn ddiweddarach yn y nofel bod Omar wedi cael bywyd caled iawn, nid yw'r darlun rydyn ni'n gael ohono y tro cyntaf rydyn ni'n ei weld yn un cadarnhaol. Mae Omar yn twyllo Jamal er mwyn dwyn ei bêl gan gynnig gwerthu potel o ddŵr yfed iddo. (t.94)
penderfynol	Mae Omar yn dadlau gyda Jamal a Bibi ar y cei am y bêl ac mae Bibi yn cicio'r bêl i'r dŵr yn ei gwylltineb. Ond mae Omar yn benderfynol o gael y bêl gan neidio oddi ar y cei a phwyso ar deiars ar y dŵr i geisio cael y bêl yn ôl. Mae'n addo rhannu'r bêl gyda Jamal a Bibi os yw'n ei chael yn ôl **"Hanner y bêl i chi a hanner i mi."** (t.129)
negyddol	Mae Omar yn tueddu i edrych yn negyddol iawn ar bethau. Pan mae Bibi yn dweud bod angen iddyn nhw fod yn amyneddgar er mwyn gweld eu rhieni yn Awstralia, ateb Omar yw **"Os ydyn ni'n lwcus."** (t.140)

cenfigennus	Mae Omar yn teimlo'n genfigennus o fywyd teuluol y gweddill felly mae'n dweud straeon celwyddog er mwyn ceisio cystadlu â nhw **"Mae fy chwaer yn neis hefyd ac mae hi'n gallu chwarae ffliwt â'i thrwyn."** (t.148) Mae Omar hefyd yn genfigennus o gyfeillgarwch Jamal a Rashida a phan mae Jamal yn dysgu sgiliau pêl-droed i Rashida mae Omar yn ceisio tynnu eu sylw **"Fydd hi ddim yn ddiflas os bydd siarcod yn ymosod arnon ni... neu forfilod. Neu os bydd storm enfawr yn codi a thonnau anferthol yn taro ar y dec."** (t.148)
ffyddlon	Er bod Omar yn gwylltio Jamal yn aml yn y nofel mae'n profi erbyn y diwedd ei fod yn ffyddlon iawn i'w ffrindiau. Mae'n dychwelyd y bêl i Jamal ar ôl iddi ddisgyn i'r môr ar ddechrau'r fordaith (t.139) ac mae hefyd yn dod â'r bêl yn ôl iddo ar y llong ryfel ar ôl iddyn nhw gael eu hachub (t.179).

Rashida	
pwyllog	Nid yw Rashida'n gwylltio pan mae'r morwr yn gwrthod ei bwydo hi, Jamal a Bibi ac mae hi'n ceisio eu tawelu nhw **"Dyw hi ddim gwerth y drafferth. Mae'n llawer pwysicach eich bod chi'n cyrraedd Awstralia'n ddiogel ac yn dod o hyd i'ch rhieni."** (t.144)
caredig	Yn syth ar ôl iddi gwrdd â Jamal, Bibi ac Omar mae Rashida'n gofalu amdanyn nhw. Mae hi'n rhannu ei thun sardins a'i dŵr gyda nhw pan roedd eisiau bwyd arnyn nhw. (t.147)
hael	Pan mae'r Smyglwyr yn mynnu cael mwy o arian gan bob un o'r teithwyr mae Rashida'n defnyddio oriawr werthfawr i dalu am ddiogelwch y pedwar ohonyn nhw **"Dad brynodd hi gyda gweddill ei gynilion... Roedd e'n gwybod y byddai hyn yn digwydd."** (t.157)
gofalus	Mae Jamal yn teimlo fel bod ei fyd ar ben pan mae'n clywed y newydd fod cwch ei rieni wedi suddo ac yn sylweddoli nad ydyn nhw yn Awstralia wedi'r cyfan. Mae Rashida'n dod â bwyd iddyn nhw ac yn ceisio eu cysuro **"Jamal a Bibi, dw i eisiau i chi wybod fy mod gyda chi o hyd. Dw i'n gwybod nad yw hynny'r un peth, ond dw i gyda chi."** (t.194)

8. Crynodeb o'r testun

Pennod 1

Mae Jamal yn chwarae pêl-droed (gyda'i ffrindiau Yusuf, Aziz, Mussa a Zoltan) gan esgus ei fod yn chwarae i Manchester United. Maen nhw'n defnyddio'r rwbel rhyfel sydd o gwmpas fel rhan o'u gêm a gallwn weld fod Afghanistan yn lle peryglus iawn. Yn sydyn, mae'r pedwar yn tawelu wrth sylweddoli bod Bibi, chwaer Jamal, yn sefyll yno yn barod i chwarae. Mae'n rhaid i'r bechgyn ei hatal gan fod merched wedi cael eu gwahardd rhag chwarae pêl-droed yn Afghanistan gan y Llywodraeth. Nid yw Bibi yn gwrando arnyn nhw ac mae'n llwyddo i sgorio gôl wych. Yn anffodus, mae'r bêl yn diflannu'r ochr arall i grater roced ac heb ofn o gwbl mae Bibi yn rhedeg ar ôl y bêl gyda Jamal yn rhedeg ar ei hôl hi.

Pennod 2

Mae'r bêl wedi cael ei stopio gan danc rhyfel. Mae Bibi a Jamal yn gweld baril gwn y tanc yn troi tuag at Bibi. I ddechrau, nid yw Jamal yn poeni gormod am ei fod yn meddwl mai brêc y tanc sydd heb ei dynnu ond mae'n parhau i drio perswadio Bibi i fynd adref. Wedi iddo lwyddo i'w pherswadio mae Jamal yn sylweddoli ei fod yn danc byw a bod rhywun ynddo a nawr mae'r baril yn troi ato fe. Er ei ofn mae Jamal yn ceisio dweud wrtho'i hun y bydd popeth yn iawn ond mae Bibi yn dechrau taflu cerrig a gweiddi pethau cas ar y tanc.

Pennod 3

Mae Jamal yn gweiddi ar Bibi i orwedd ar y llawr ac mae yntau'n gwneud yr un peth. Mae Bibi yn cario ymlaen i weiddi ar y tanc oherwydd nid yw'n deall perygl y sefyllfa. Mae Jamal yn llwyddo i berswadio Bibi i ddianc. Mae ef yn ceisio rhesymu â'r tanc a gofyn am y bêl yn ôl. Yna, gan ddefnyddio ei ddewrder i gyd mae Jamal yn cerdded at flaen y tanc a cheisio gafael yn y bêl ond nid yw'r bêl yn symud. Pan mae Jamal yn dechrau meddwl fod pethau'n dywyll iawn arnyn nhw, mae'r tanc yn dechrau symud yn ôl ac yn gwibio tua'r gorwel. Mae Jamal yn gafael yn ei bêl werthfawr ac mae pethau'n dechrau edrych yn well pan mae sgrech enfawr i'w chlywed. Mae Yusuf yn gweiddi ar Jamal fod Bibi wedi sefyll ar ffrwydryn tir.

Pennod 4

Nid yw'r ffrwydryn tir wedi ffrwydro eto ond mae troed Bibi yn dal arno. Mae Jamal yn penderfynu mai'r peth gorau i'w wneud yw cyfnewid lle gyda Bibi yn ofalus gan y byddai mwy o berygl pe byddai rhywun yn gweld Bibi allan (gan ei bod yn ferch). Mae'r ddau yn llwyddo i newid lle heb ffrwydrad ac mae Jamal yn gorchymyn i Bibi a Yusuf redeg yn ôl at y pentref i guddio Bibi ac i ofyn am help. Mae Bibi yn gwrthod mynd gan afael yn dynn yn ei brawd. Wrth iddi afael ynddo mae'r ddau yn llithro oddi ar y ffrwydryn... ond wrth lwc 'does dim ffrwydrad. Mae'r tri yn llwyddo i ddianc yn ôl i'r pentref.

Pennod 5

Mae'n rhaid i'r tri fod yn gyfrwys wrth gyrraedd y pentref gan fod Bibi gyda nhw. Nid yw Bibi yn sylweddoli perygl y sefyllfa unwaith eto ac mae'n taflu cerrig at dryc rhyfel sy'n pasio gan ei bod yn casáu'r rhyfel a sefyllfa'r wlad. Maen nhw'n cerdded drwy'r pentref gyda'r bêl-droed pan mae Mr Nasser (dyn casaf y stryd) yn gafael yn y bêl ac yn eu cyhuddo o dorri ei ffenestr. Er mwyn dangos nad oedden nhw'n euog mae Jamal yn ceisio dangos ei reolaeth ar y bêl pan mae'r bêl yn llithro a thorri ei ffenestr arall! Mae tad Jamal yn dod heibio yn ei dacsi ac yn llwyddo i dawelu'r sefyllfa gan addo talu am y ffenestri (er mai dim ond un oedd wedi ei thorri gan Jamal).

Pennod 6

Mae Jamal a Bibi yn poeni am yr hyn fydd gan eu rhieni i ddweud wrthynt am y ffenestr a'r ffaith fod Bibi allan. Dydy'r ddau ddim yn gas o gwbl ond yn gafael yn dynn yn eu plant. Dydy Jamal a Bibi ddim yn deall nes i'w rhieni esbonio iddyn nhw eu bod yn gorfod gadael eu cartref y noson honno. Mae'n rhaid i'r pedwar ddianc am byth am fod y Llywodraeth wedi darganfod yr ysgol anghyfreithlon gyfrinachol roedd rhieni Jamal yn ei chynnal yn y tŷ. Os na fyddan nhw'n dianc ar unwaith, bydd eu bywydau mewn perygl.

Pennod 7

Mae Jamal a Bibi yn anhapus iawn eu bod yn gorfod gadael eu cartref. Pan mae Bibi yn cyfaddef wrth ei mam faint o ofn sydd arni mae ei mam yn dangos canhwyllbren arbennig iddi. Traddodiad y teulu oedd fod y ganhwyllbren hon (o gerrig gwerthfawr) yn perthyn i hynafiaid teulu mam y plant oedd yn Rhyfelwyr yr Anialwch. Byddai'r ganhwyllbren hon yn eu gwarchod ac yn eu cadw'n ddiogel. Er hynny, mae pawb yn y teulu yn drist achos bydd rhaid iddyn nhw adael llawer o bethau ar ôl. Bydd Jamal yn gadael ei deganau. Bydd ei dad yn gadael ffwrn pobi bara ei deulu ef a bydd mam Jamal yn gadael yr ysgol oedd yn y seler.

Pennod 8

Mae Jamal a Bibi yn cuddio'r noson honno yn nhŷ Yusuf a'i dad-cu wrth i'w rhieni fynd i rybuddio gweddill rhieni plant yr ysgol. Mae tad-cu Yusuf yn edrych ar gêm bêl-droed rhwng Lerpwl a Chelsea ar deledu lloeren anghyfreithlon. Mae Jamal wrth ei fodd yn edrych ar gemau pêl-droed ac wrth edrych ar gêm Manchester United a Charlton Athletic mae'n meddwl am gynllun i achub ei deulu. Mae Jamal am fod yn seren tîm pêl-droed cenedlaethol Afghanistan ac mae'n siwr y bydd y Llywodraeth yn maddau i'w deulu oherwydd ei fod mor wych.

Pennod 9

Er mwyn gwireddu ei gynllun mae'n rhaid iddo ymarfer felly mae Jamal yn sleifio o seler tad-cu Yusuf ac yn mynd i ymarfer ei sgiliau ar y stryd. Mae Bibi yn ei weld ac yn ceisio ymuno ag ef ac er iddo geisio ei pherswadio i fynd yn ôl i'r tŷ mae'n dychryn o weld sgiliau pêl-droed naturiol Bibi. Mae hi'n rhoi cic galed i'r bêl ac mae'n mynd lawr y ffordd gan daro drws eu tŷ nhw – ac mae'r tŷ yn ffrwydro. Wedi'r ffrwydrad, does dim ar ôl o'u cartref ond rwbel a baw. Mae'r Llywodraeth wedi ei chwythu i fyny yn fwriadol fel cosb am yr ysgol anghyfreithlon.

Pennod 10

Mae tad Jamal a Bibi yn cario'r ddau yn ôl i seler tad-cu Yusuf pan mae Bibi yn sylweddoli nad yw eu mam gyda nhw. Mae'r tad yn ateb gan ddweud bod eu mam yn y ddinas yn ddiogel a bod angen i'r plant fod yn ddiogel hefyd felly mae'n rhaid i'r tri adael yn syth yn ei dacsi. Mae Jamal yn ceisio rhoi ei bêl i Yusuf yn lle'r un a ffrwydrodd gyda'r tŷ ond mae Yusuf yn gwrthod gan ddweud y bydd mwy o angen y bêl arnyn nhw lle maen nhw'n mynd.

Pennod 11

Mae Jamal a Bibi yn cuddio yng nghefn tacsi eu tad ac yn ceisio cysgu wrth iddyn nhw yrru i'r ddinas (Kabul). Mae'r tad yn stopio'r tacsi ac yn ei barcio o dan rhes hir o goed. Ar y coed mae bwndeli o hen dapiau yn crogi oddi ar y brigau – arwydd gan y Llywodraeth i fodurwyr bod cerddoriaeth wedi ei wahardd yn y wlad. Mae'r tri yn cerdded i hen siop wag ac mae eu tad yn esbonio wrth y plant bod angen iddyn nhw guddio yno nes iddo ddod yn ôl gyda'u mam. Mae'n dweud ei fod yn mynd i'r stadiwm bêl-droed i gasglu eu mam ac y bydd yn ôl cyn te. Wedi i'w dad adael, mae Jamal yn penderfynu ei fod yn gwybod beth yw'r cynllun. Mae'n meddwl bod ei dad a'i fam yn mynd i siarad gyda swyddog pêl-droed amdano ef a Bibi a sut y bydd eu sgiliau pêl-droed nhw yn helpu Afghanistan i gael tîm cenedlaethol rhyw ddydd. Wedi rhannu'r hyn sydd ar ei feddwl gyda Bibi mae'r ddau yn penderfynu bod angen iddyn nhw fod yn y stadiwm hefyd er mwyn dangos eu sgiliau.

Pennod 12

Mae'r stadiwm yn llawn ac mae Jamal a Bibi yn meddwl bod y Llywodraeth wedi rhoi caniatâd i gêm gael ei chwarae. Ar ôl i'r seddau gael eu llenwi mae'r stadiwm yn tawelu ac mae tryc y fyddin yn cyrraedd. Nid yw Jamal a Bibi yn deall beth sy'n digwydd gan eu bod yn dal i aros i'r gêm gychwyn. Mae drysau'r tryc yn cael eu hagor ac mae menywod yn cael eu llusgo allan. Mae'r menywod yn cael eu cadwyno wrth y pyst gyda drylliau yn cael eu pwyntio atyn nhw ond mae un o'r menywod yn torri'n rhydd. Wrth weld y fenyw hon yn rhedeg mae Jamal a Bibi yn ei hadnabod – eu mam yw hi.

Mae Jamal yn sylweddoli beth sydd wedi digwydd – y noson gynt cyn i'w cartref gael ei ffrwydro roedd y Llywodraeth wedi arestio ei fam. Marwolaeth gyhoeddus fyddai cosb Mam am gynnal yr ysgol anghyfreithlon. Mae'r stadiwm yn mynd yn wyllt wrth i'r drylliau ddilyn ei fam, mae Jamal yn dechrau rhedeg am y cae ac mae eraill yn ceisio dianc o'r stadiwm. Wrth i hyn ddigwydd mae mwy o sŵn wrth i dacsi yrru mewn i'r stadiwm ac anelu am y fenyw sy'n rhedeg. Mae'r tacsi yn gwneud cylch o flaen y milwyr ac yn taflu caniau o olew ar dân tuag atynt. Mae'r tacsi yn gwneud sgid ac yn taro i mewn i ddau filwr nes bod y ddau ar y llawr a'u drylliau wedi eu taflu o'u dwylo. Mae mam Jamal a Bibi yn neidio i ddrws agored y tacsi ac mae'r tacsi yn gyrru i ffwrdd ar frys wrth i'r milwyr eraill saethu ato. Mae Jamal a Bibi yn sylweddoli mai eu tad oedd yn gyrru'r tacsi.

Pennod 13

Mae Jamal a Bibi yn rhedeg yn ôl tua'r siop wag ond dydy eu rhieni ddim wedi cyrraedd eto. Mae Jamal yn gwneud yn siwr fod popeth yn eu bagiau fel eu bod yn gallu dianc yn sydyn pan mae eu rhieni yn cyrraedd yn ôl. Dydy Jamal ddim yn chwythu'r canhwyllau sy'n y ganhwyllbren arbennig rhag ofn y gallai ddod â mwy o lwc iddyn nhw. Yng nghanol sgrechian Bibi mae'r tacsi yn cyrraedd gyda rhieni'r ddau'n ddiogel ynddo. Mae'r teulu'n taflu popeth i gist y tacsi ac mae tad Jamal yn ceisio cuddio'r tyllau bwledi a pheintio'r drws gwyrdd yn goch er mwyn twyllo'r heddlu. Mae ei dad yn esbonio y bydd angen y tacsi arnyn nhw i gyrraedd rhan arall y ddinas ond wedyn y byddan nhw'n gwerthu'r tacsi er mwyn cael arian ar gyfer eu taith.

Pennod 14

Mae'r teulu bellach wedi gwerthu'r tacsi ac maen nhw yng nghefn tryc yn cuddio o dan sachau. Mae Jamal yn holi ei dad ynglŷn â lle maen nhw'n mynd ac mae ei dad yn dweud wrtho eu bod yn mynd i Awstralia er mwyn dechrau bywyd newydd. Wrth gyrraedd ffin Afghanistan mae'r teulu yn aros yn ofnus wrth glywed sŵn dynion yn gweiddi tu allan ond mae'r tryc yn cael parhau ar ei daith ac mae'r teulu yn ffarwelio ag Afghanistan am byth.

Pennod 15

Mae Jamal, Bibi a'u rhieni yn cyrraedd gwersyll ffoaduriaid. Mae'r olygfa o filoedd o bebyll a llwch ynghanol yr anialwch yn eu dychryn ond maent yn mynd ati i godi pebyll gan ddefnyddio brigau a chôt y tad. Mae Jamal yn gwneud yn fawr o'r amser yn y gwersyll er mwyn ymarfer ei sgiliau pêl-droed. Un dydd wrth iddo ymarfer mae bachgen yn ceisio gwerthu dŵr iddo. Mae Jamal yn gwrthod ond mae'n cynnig chwarae pêl-droed gyda'r bachgen. Mae'r bachgen yn cymryd y bêl a rhedeg i ffwrdd. Mae Jamal yn rhedeg ar ôl y bachgen nes iddo ollwng y bêl werthfawr. Wrth edrych o'i gwmpas mae Jamal yn cael sioc. Yn y rhan yma o'r gwersyll 'does dim cyffro a phrysurdeb dim ond hen bebyll tyllog a phobl sâl yn gorweddian.

Mae Jamal yn mynd at dryc gyda chroes goch arni a gofyn am gymorth i'r bobl sâl. Mae'r dyn yn y tryc yn esbonio mai eisiau bwyd sydd ar y bobl. Mae Jamal yn dweud wrth weithiwr y Groes Goch ei fod ar ei ffordd i Awstralia ac mae'r gweithiwr yn ei gyflwyno i Gavin, gweithiwr arall sy'n dod o Awstralia. Mae Gavin yn dweud bod Awstralia'n lle braf heb ryfel na Llywodraeth sydd eisiau lladd pobl ddiniwed. Mae'r newyddion yn cyffroi Jamal ac mae ar frys i fynd yn ôl at ei deulu i ddweud wrthyn nhw. Yn anffodus, wedi ffarwelio â gweithwyr y Groes Goch nid yw Jamal yn gallu dod o hyd i'r ffordd yn ôl at ei deulu.

Pennod 16

Wrth i Jamal ddigalonni achos doedd e ddim yn gallu ffeindio'i deulu mae'r bachgen oedd wedi dwyn ei bêl yn dod ato ac yn cynnig mynd ag ef yn ôl am ddoler Americanaidd. Mae Jamal yn dweud nad oes doler ganddo ac mae'r bachgen yn dweud y bydd y bêl yn ddigon. Nid ydy Jamal yn hapus gyda hyn ond mae'n dilyn y bachgen trwy'r pebyll beth bynnag. Mae'r ddau yn dod ar draws tyrfa o ddynion ac mae'r bachgen yn dweud mai dynion y Cenhedloedd Unedig ydyn nhw yn rhoi tocynnau i bobl ddianc. Mae gormod o bobl yn ceisio cael sylw'r dynion ac er bod Jamal yn ceisio defnyddio ei sgiliau pêl-droed i gael eu sylw mae'r dynion yn mynd yn ôl i'w car ac yn gyrru i ffwrdd. Nid oes golwg o'r bachgen yn unman ond cyn i Jamal fynd yn rhy ddigalon mae'n gweld pabell ei deulu a'i fam a Bibi o'i flaen. Yn anffodus, nid oes amser i Jamal fod yn hapus oherwydd mae'n sylweddoli bod heddlu mewn iwnifform yn sefyll o amgylch ei dad.

Pennod 17

Mae Jamal yn rhuthro at yr heddlu ac yn apelio arnyn nhw i beidio arestio ei dad. Mae ei dad yn ei dawelu gan ddweud fod popeth yn iawn ac mae Jamal yn sylweddoli bod ei dad yn talu'r heddlu. Mae Jamal yn cael sioc i weld faint o arian mae ei dad yn ei roi iddyn nhw. Ar ôl i'r heddlu fynd, mae ei dad yn esbonio ei fod wedi talu'r heddlu am eu bod yn adnabod pobl a fyddai yn eu helpu i ddianc i Awstralia.

Pennod 18

Mae'r teulu yn aros mewn bws poeth a llawn y tu allan i'r maes awyr. Nid yw Jamal yn gallu dweud dim i godi calon ei fam ac nid yw'n deall pam mae hi mor anhapus. Maen nhw'n cael gorchymyn i adael y bws ac mae eu pethau yn cael eu taflu ar y tarmac y tu allan i'r awyren. Mae Gardiau Diogelwch yn dod tuag atynt ac mae Jamal yn meddwl eu bod yn cario cleddyfau ond teclyn i ddarganfod metel sydd ganddyn nhw. Mae ei dad yn dweud wrth y Gardiau nad oes unrhyw fetel ganddyn nhw ac mae hyn yn poeni Jamal am ei fod yn poeni am y ganhwyllbren werthfawr ym mag ei fam. Ond wrth i'r Gardiau basio'r teclyn dros fag ei fam nid oes unrhyw sŵn na fflachio ac mae Jamal yn sylweddoli nad yw'r ganhwyllbren gan ei fam. Nawr, mae Jamal yn deall o ble ddaeth yr arian i dalu'r heddlu – mae canhwyllbren yr hynafiaid rhyfel wedi ei gwerthu ac nid oes dim i ofalu amdanyn nhw bellach.

Pennod 19

Mae'r teulu yn eistedd yn dawel ac yn ofnus ar yr awyren. Mae llawer o'r teithwyr yn ofnus hefyd ac mae rhai yn gweddio yn uchel. Mae Jamal yn penderfynu bod yn rhaid i'r teulu ofalu am ei gilydd heb ganhwyllbren yr hynafiaid i ofalu amdanynt.

Pennod 20

Ar ôl y daith ar yr awyren mae'r ffoaduriaid i gyd yn cael eu cadw mewn tŷ poeth gyda dim ond un pryd o nwdls y dydd. Mae'r ddau gwch pysgota sy'n mynd i gario cannoedd o ffoaduriaid ar yr ochr draw i'r ffens ac mae eu maint yn poeni Jamal a'i dad. Mae Jamal a Bibi yn penderfynu chwarae pêl-droed. Yn sydyn mae rhywun yn taclo Jamal – y bachgen o'r gwersyll oedd yno. Mae e'n dadlau gyda Jamal mai ei bêl ef yw hi. Mae Bibi yn dechrau gweiddi arno ac mae'r tri yn ceisio gafael yn y bêl ond mae Bibi yn rhoi cic iddi ac mae'r bêl yn bownsio dros y ffens ac i'r cei.

Pennod 21

Wrth i'r bêl ddiflannu i'r cei mae'r gatiau yn agor ac mae pawb yn rhuthro ymlaen. Mae Bibi yn penderfynu mynd i nôl y bêl gyda darn hir o bren. Mae Jamal yn ceisio ei rhybuddio i beidio gan ddweud y byddan nhw'n colli eu rhieni ond nid yw Bibi yn gwrando. Mae'r bachgen yn cymryd y ffon o ddwylo Bibi ac yn dweud y byddai ef yn achub y bêl. Wrth geisio ymestyn am y bêl mae'r bachgen yn llithro i'r dŵr. Er bod Jamal yn gweiddi am help nid oes neb yn gwrando ond mae Jamal yn gweld morwr gyda pholyn. Mae'n ceisio gafael yn y polyn ond mae'r morwr yn taro Jamal yn ei wyneb. Fel arfer mae Bibi yn ymateb yn gyflym ac yn cicio a chnoi'r morwr am daro ei brawd ac mae'r morwr yn gafael ynddi gan ei thaflu dros ochr y cwch i'r dŵr.

Pennod 22

Mae Jamal yn neidio i'r dŵr ar ôl Bibi ac yn llwyddo i gael gafael arni ond dydy e ddim yn gallu dod â'r ddau ohonyn nhw i wyneb y dŵr. Ond, mae rhywbeth yn gafael yn y ddau ac yn eu taflu ar y dec. Pan mae'r ddau'n dod atynt eu hunain mae Jamal a Bibi yn sylweddoli bod eu rhieni ar y cwch arall sydd wrthi yn gadael y cei. Mae eu rhieni'n sylweddoli'r hyn sy'n digwydd ar yr un pryd ac mae eu tad yn ceisio dringo dros ochr y cwch cyn i'w mam ei ddal yn ôl. Mae Jamal yn gweiddi mewn panig ar y cwch arall i droi'n ôl ond does neb yn gwrando.

Pennod 23

Mae Jamal yn chwilio am rywun er mwyn cael neges radio i'r cwch arall ond mae'r unig forwr mae'n ei weld yn ei anwybyddu. Mae Bibi unwaith eto yn dechrau gweiddi'n gas ond does dim yn gweithio. Mae un o'r Smyglwyr yn dod atyn nhw ac yn esbonio nad oes radio ar y cwch. Mae Jamal yn penderfynu mai'r unig ateb yw bod yn amyneddgar a gobeithio gweld eu rhieni eto yn Awstralia. Mae Jamal a Bibi yn eithaf trist pan mae'r bachgen o'r gwersyll yn ymddangos unwaith eto gan gynnig y bêl wlyb i Jamal. Mae'n cyflwyno ei hun fel Omar ac yn eistedd wrth eu hymyl yn falch o'r cwmni.

Pennod 24

Mae'r daith ar y môr yn arw gyda'r dec yn llawn a phobl yn sâl dros ochr y cwch. Nid oes llawer o fwyd ar y cwch ond mae Jamal a Bibi yn aros mewn rhes am ychydig o gawl pan mae blanced rhywun sydd o'u blaenau yn y rhes yn mynd ar dân. Mae Jamal yn neidio am y flanced gan ei thynnu oddi ar y person a neidio arni er mwyn diffodd y fflamau cyn ei rhoi yn ôl i'r person. Merch yn ei harddegau yw perchennog y flanced ac mae wedi ei gwisgo yn wahanol i neb a welodd Jamal erioed. Mae'r morwr yn gwrthod rhoi bwyd i'r ferch ac am fod Bibi yn protestio, mae'n gwrthod rhoi bwyd i Jamal a Bibi hefyd. Mae'r ferch yn dweud wrthyn nhw i beidio â phoeni gan ddweud bod cyrraedd Awstralia yn bwysicach na dim arall. Mae Jamal wedi penderfynu'n barod ei fod yn hoffi'r ferch.

Pennod 25

Mae'r ferch yn gwahodd Bibi a Jamal i eistedd gyda hi ar ei blanced ac yn ei chyflwyno ei hun fel Rashida iddyn nhw. Mae Rashida hefyd yn teithio ar ei phen ei hun oherwydd mai dim ond digon o arian ar gyfer un tocyn oedd gan ei rhieni. Mae Rashida yn rhannu tun o sardîns a dŵr gyda Jamal, Bibi ac Omar (sydd bellach wedi ymuno â nhw unwaith eto). Mae Jamal yn penderfynu ei fod yn hoffi Rashida yn fwy fyth wrth iddi roi eli haul iddyn nhw am eu bod wedi llosgi ac mae'n gweld bod ganddi flawd yn ei chas dillad.

Pennod 26

Mae Jamal yn defnyddio blawd Rashida a dŵr heli i wneud bara ar injan ddisel y cwch. Mae wedi cael caniatâd y morwyr i ddefnyddio'r injan ond mae'n dychryn wrth weld bod y rhan hwnnw o'r cwch o dan ddŵr. Mae'n penderfynu pedio â dweud wrth y gweddill rhag eu poeni.

Pennod 27

Mae pethau'n mynd yn fwy anodd ar ddec y cwch. Mae'r tonnau'n mynd yn fwy ac mae llawer yn sâl môr gan gynnwys Jamal. Rashida sy'n edrych ar eu holau gan roi dŵr iddyn nhw a gorchuddio eu pennau rhag yr haul. Er mwyn gwneud ei hun i deimlo'n well mae Jamal yn meddwl am Awstralia a'r Llywodraeth garedig fydd yn eu haros yno.

Pennod 28

Ar ôl iddyn nhw fod ar y cwch am dri dydd mae Jamal yn deffro ac mae'n sylweddoli nad yw'r cwch yn symud. I ddechrau mae hyn yn ei wneud yn hapus oherwydd nad yw'n sâl môr ond wedyn mae'n sylweddoli bod y Smyglwyr a'r Morwyr yn sefyll o'u blaenau. Mae'r Smyglwyr yn gorchymyn i'r teithwyr i gyd dalu can doler yn ychwanegol am y daith. Mae Jamal, Bibi ac Omar yn anobeithio'n llwyr oherwydd nad oes arian ganddyn nhw o gwbl ond mae Rashida yn estyn oriawr werthfawr i'r Smyglwyr. Mae'r Smyglwyr yn derbyn yr oriawr fel tâl am y pedwar ohonyn nhw ac mae'r pedwar yn ddiogel unwaith eto.

Pennod 29

Ar ôl saith dydd ar y cwch mae Bibi yn cofio ei bod yn cael ei phen-blwydd. Er mwyn ceisio gwneud iddi deimlo'n well mae Jamal a Rashida'n dweud wrthi pa mor wych fydd eu pen-blwyddi ar ôl iddyn nhw gyrraedd Awstralia. Wrth siarad am Awstralia maen nhw'n darganfod bod Rashida wedi byw yn Awstralia gyda'i rhieni o'r blaen. Mae meddwl am deulu yn gwneud Jamal yn drist unwaith eto.

Pennod 30

Mae pethau'n mynd o ddrwg i waeth pan mae môr-ladron sy'n cario arfau awtomatig yn ymosod ar gwch y ffoaduriaid. Yn lle ymladd â'r môr-ladron mae'r Smyglwyr yn ysgwyd llaw â nhw ac yn mynd ar gwch y môr-ladron gyda'r bwced o arian a phethau gwerthfawr. Mae Jamal yn dyfalu mai gweithio gyda'i gilydd am arian oedd y môr-ladron a'r Smyglwyr. Yna mae môr-leidr yn llusgo merch ifanc tuag at eu cwch nhw ac mae Jamal yn deall bod y merched mewn perygl. Mae'n gorchymyn i Bibi a Rashida guddio eu sgertiau a rhoi eu gwallt i fyny mewn het. Yna mae'n cychwyn pasio'r bêl-droed yn ôl ac ymlaen o ben-glin i ben-glin er mwyn dangos sgiliau pêl-droed Bibi a Rashida. Bwriad Jamal yw cuddio'r ffaith bod y ddwy yn ferched gyda'u sgiliau pêl-droed gwych. Mae'r cynllun yn gweithio ond mae un o'r môr-ladron yn ceisio cymryd y bêl oddi ar Jamal a heb feddwl mae Jamal yn ei daclo. Mae Jamal yn cael cic gas i'w glun cyn i'r môr-leidr fynd ond mae'r pedwar yn teimlo'n hapus eu bod yn ddiogel unwaith eto. Ond, mae'r Smyglwyr bellach wedi gadael y ffoaduriaid a dim ond tri morwr sydd ar ôl yng ngofal y cwch.

Pennod 31

Mae Jamal yn cysgu ac yn breuddwydio am chwarae i Dubbo Abbatoirs United yn Awstralia ac yntau yn gallu dangos ei sgiliau i dyrfa enfawr pan mae sgrech Bibi yn ei ddeffro. Pan mae'n agor ei lygaid mae'n gweld ton enfawr yn torri dros ochr y cwch.

Pennod 32

Mae Jamal a Bibi wedi colli Rashida ac Omar ac yn gweithio'n galed gyda'u tuniau llysiau i gael y dŵr oddi ar ddec y cwch. Mae Jamal yn ceisio meddwl am ei hynafiaid oedd yn bobyddion fel ysbrydoliaeth i beidio rhoi'r ffidil yn y to. Mae pawb yn oer, yn newynog ac yn flinedig ond mae Jamal a Bibi yn dal i weithio er mwyn ceisio cael y dŵr o'r cwch.

Pennod 33

Mae sŵn uchel yn dod o'r dec ac mae pawb yn ceisio mynd i fyny i weld beth yw achos y sŵn. Mae Jamal yn rhy flinedig i fynd i edrych – mae eisiau parhau i weithio ar gael y dŵr allan o'r cwch. Mae llong ryfel enfawr wedi dod ochr yn ochr â'r cwch pysgota ac mae drylliau a rocedi yn cael eu pwyntio tuag atynt. Mae'r ffoaduriaid yn gweiddi ac yn ceisio dangos mai pobl ddiniwed a phlant sydd ar y cwch er mwyn achub eu bywydau unwaith yn rhagor. Nid yw Jamal yn poeni – mae wedi adnabod baner Awstralia ar ochr y llong.

Pennod 34

Mae Jamal a Bibi yn ddiogel ar y llong ryfel ac mae Andrew, y swyddog o Awstralia oedd wedi eu hachub o'r cwch yn dod i gaban y ddau gyda phryd o fwyd iddyn nhw. Mae Andrew yn ymddiheuro i Jamal am yr amser a gymerodd y llong i'w hachub gan feio gwaith papur. Mae Andrew yn tawelu meddwl Jamal gan ddweud bod Rashida yn ddiogel ond yn cael gofal meddygol. Nid yw Andrew yn gwybod ble mae Omar ond ynghanol y nos mae Omar a'r bêl yn ymddangos yn nrws caban Jamal a Bibi.

Pennod 35

Mae'r ffoaduriaid ar gwch arall sy'n gwibio tuag at dir sych. Mae'r plant yn sicr mai Awstralia ydy'r tir gwyrdd sydd o'u blaenau. Mae pobl yn aros amdanyn nhw ar y lan ac er bod Jamal yn gobeithio mai ei rieni sydd yno yn aros amdanyn nhw mae'n gweld mai milwyr mewn iwnifform sydd yno. Mae Andrew yn dweud wrthyn nhw nad ydyn nhw wedi llwyddo i ddarganfod y cwch arall eto ac mae'n arwain y pedwar plentyn at bebyll mawr.

Pennod 36

Mae Jamal wrth ei fodd yn cael chwarae mewn gêm bêl-droed fawr rhwng y ffoaduriaid a'r milwyr. Mae'n rhy brysur i wrando ar Omar sy'n dweud ei fod wedi clywed straeon drwg am y gwersyll. Hefyd, am ei fod mor brysur yn mwynhau'r gêm,

Jamal yw'r olaf i glywed sgrechian a chrio'r ffoaduriaid wedi iddyn nhw dderbyn y newyddion drwg. Roedd y newyddion wedi cyrraedd y gwersyll fod y cwch arall (cwch rhieni Jamal a Bibi) wedi suddo.

Pennod 37

Mae Jamal mewn panig llwyr ac yn rhedeg at griw o forwyr er mwyn ceisio eu perswadio i lawnsio cwch achub arall. Nid yw'r dynion yn ei ddeall a hyd yn oed ar ôl iddo dynnu llun yn y tywod maen nhw'n gwrthod rhoi cymorth iddo. Pan mae Jamal yn gweiddi arnyn nhw mae'n dod i ddeall nad ydyn nhw ar dir Awstralia.

Pennod 38

Mae Rashida yn ceisio cysuro Jamal sy'n gorwedd ar ei wely yn gafael yn ei chwaer gan wrthod siarad na bwyta. Mae Rashida'n cario bwyd iddyn nhw ac mae hi wedi achub pêl-droed Jamal o'r ffens ond nid oes dim yn gallu gwneud iddo deimlo'n well. Mae Rashida'n ei sicrhau y bydd hi'n gofalu am Jamal a Bibi am byth.

Pennod 39

Mae Omar yn dod i siarad gyda Jamal ac yn cyfaddef nad oedd ei rieni ef ar y cwch arall wedi'r cyfan. Roedd wedi dweud celwydd ar hyd y fordaith er mwyn cuddio'r ffaith fod ei rieni wedi marw pan oedd yn ddwy oed. Roedd Omar wedi twyllo ei ffordd ar yr awyren a'r cwch gan guddio gyda theuluoedd eraill. Mae Omar yn esbonio mai lladron oedd hynafiaid ei deulu ac yn gofyn am hanes teulu Jamal. Mae Jamal yn ateb fod ganddo hynafiaid oedd yn Rhyfelwyr yr Anialwch ar un ochr ac yn Bobyddion ar yr ochr arall. Wedi i Omar ofyn i Jamal os mai Rhyfelwr neu Bobydd yw ef mae Jamal yn ei ateb gan ddweud ei fod yn ychydig o'r ddau.

Pennod 40

Mae Jamal yn breuddwydio am chwarae i Manchester United pan mae Bibi yn ei ddeffro. Mae Bibi'n llusgo Jamal o'r babell ac maen nhw'n gweld bod cwch arall wedi cyrraedd yr ynys. Maen nhw'n gweld Omar yn cofleidio teulu mawr oedd wedi ei helpu o wersyll y ffoaduriaid ac mae Jamal yn sylweddoli mai dyma'r rhai oedd wedi goroesi wrth i'r ail gwch suddo. Mae Jamal yn clywed sgrech gan Bibi ac wrth droi mae'n gweld ei rieni yn sefyll yno yn gwenu.

Pennod 41

Mae'r pedwar ohonyn nhw (Jamal, Bibi a'u rhieni) yn gafael am ei gilydd am oriau cyn cychwyn siarad. Mae Jamal yn dweud wrthyn nhw nad ydyn nhw yn Awstralia ond ar ynys yn y Cefnfor Tawel. Mae ei dad yn ei gysuro gan ddweud mai bod gyda'i gilydd sy'n bwysig ac mae'r pedwar yn rhannu'r straeon am eu mordeithiau. Mae Jamal yn falch o gyflwyno Rashida ac Omar i'w rieni ac yn esbonio ei gynllun gwych iddyn nhw sef ei fod ef a Bibi am fod yn sêr pêl-droed yn Awstralia cyn mynd adref i Afghanistan i ffurfio Llywodraeth newydd.

Pennod 42

Mae Jamal yn mynd i chwilio am Andrew am fod ganddo gwestiynau i'w gofyn iddo. Cyn iddo gael cyfle i ofyn dim mae Andrew yn ymddiheuro nad oedd wedi esbonio iddo nad oedden nhw yn Awstralia. Mae hyn yn rhoi'r cyfle i Jamal ofyn pam nad oedd y ffoaduriaid wedi cael eu cludo yn syth i Awstralia ac mae Andrew yn ateb gan ddweud bod gwleidyddion Awstralia wedi penderfynu ei bod yn well cadw'r ffoaduriaid allan. Roedd Andrew wedi trwsio pêl Jamal gan ddefnyddio darn o glwt o faner Awstralia ac er mwyn plesio Andrew mae Jamal yn rhoi cic i'r bêl. Mae hi'n torri ffenestr y swyddfa ac mae Jamal yn sylweddoli ei fod yn dal mewn poen ar ôl y gic gan y môr-leidr. Mae hyn yn gwneud i Andrew deimlo'n waeth gan nad oes ganddyn nhw hyd yn oed beiriant pelydr x ar yr ynys. Mae Andrew yn dystiolaeth i Jamal fod llawer o Awstraliaid caredig er nad ydy pawb eisiau'r ffoaduriaid yno.

Mae Jamal yn gadael swyddfa Andrew ac yn ymuno â'i deulu wrth ymyl y môr ac yn teimlo'n llawn hapusrwydd eu bod gyda'i gilydd unwaith eto

> **"Dw i'n gwybod nad Awstralia yw'r ynys hon mewn gwirionedd, ond mae'n teimlo fel Awstralia i mi."**

9. Iaith ac arddull

Sut mae'r awdur yn dal sylw'r darllenydd?

Mae'r awdur yn llwyddo i ddal sylw'r darllenydd drwy ddefnyddio amrywiaeth o dechnegau arddull. Un dechneg yw cyflymder y nofel gyda'r digwyddiadau'n dilyn ei gilydd yn gyflym iawn. Hefyd, mae'r penodau byrion yn ein hannog i ddarllen ymlaen ac wrth i'r stori fynd yn fwy cyffrous, mae'r penodau'n byrhau gan gyflymu momentwm y nofel a dal sylw'r darllenydd. Ymhlith y technegau eraill y mae'r awdur yn eu defnyddio i sicrhau bod y darllenydd yn parhau i ddarllen y mae'r disgrifiadau, dulliau creu tensiwn, deialog a naratif y nofel.

Naratif y nofel

Mae digwyddiadau'r nofel yn cael eu cyflwyno gan Jamal ei hun. Mae'r arddull yn uniongyrchol ac yn anffurfiol ac rydyn ni'n teimlo ein bod yn dod i adnabod Jamal. Mae hyn yn sicrhau ein bod yn poeni am yr hyn sy'n digwydd iddo ef a'i deulu. Mae agoriad y nofel yn dal ein sylw

> **"Fi yw Manchester United..."** (t.7)

oherwydd ei fod yn annisgwyl. Mae nifer o'r penodau yn agor gyda disgrifiad byr o sefyllfa Jamal e.e.

> **"Mae cwlwm yn fy stumog."** (t.152)

a

> **"Dwi'n deffro. Dwi'n teimlo'n stiff ac yn ddrewllyd ac yn boenus ac yn llwglyd, ond mae rhywbeth yn teimlo'n dda."** (t.154)

Mae hyn yn sicrhau ein bod yn gwybod sut mae Jamal yn teimlo trwy gydol y nofel ac yn sicrhau ein bod yn cydymdeimlo ag ef.

Llais plentyn yw naratif y nofel ac mae hyn yn effeithiol achos mae Jamal weithiau yn rhoi golwg ddiniwed ar y digwyddiadau. Mae hyn yn achosi tensiwn am ein bod yn gwybod yn well na Jamal beth sy'n digwydd. Mae hyn yn dod yn amlwg yn gynnar yn y nofel pan mae Jamal yn ceisio esbonio pam nad yw'r Llywodraeth yn hoffi pêl-droed.

> **"Dw i'n meddwl eu bod nhw'n teimlo embaras oherwydd nad oes sêr pêl-droed rhyngwladol gyda ni yma yn Afghanistan."** (t.9)

Enghraifft arall o'r naratif diniwed yw pan mae ei dad wedi mynd i'r stadiwm bêl-droed i geisio achub ei fam ac mae Jamal yn cael y syniad bod ei rieni yn y stadiwm gan eu bod wedi mynd i siarad gyda swyddogion pêl-droed am ei sgiliau ef a Bibi.

> **"Os yw Mam a Dad yn mynd i ddarbwyllo swyddog pêl-droed y llywodraeth mewn gwirionedd, mae angen i ni fod yno hefyd."** (t.72)

Oherwydd bod yr awdur wedi defnyddio llais plentyn i adrodd y stori mae'n caniatáu defnyddio mwy o hiwmor yn y stori. Er bod llawer o rannau trist iawn yn y nofel, mae llawer o frawddegau yn gwneud i ni wenu sy'n gwneud yn siwr nad yw'r nofel yn mynd yn rhy ddifrifol i'w darllen. Rydyn ni'n gallu gweld hyn pan mae Jamal yn disgrifio'r digwyddiad pan mae ei chwaer wedi cael ei dal â'i throed ar ffrwydryn tir. Mae hyn yn ddigwyddiad difrifol iawn ond mae'r awdur yn gwneud y cyfan yn fwy ysgafn drwy ddisgrifio arogl y ffrwydryn fel sanau brwnt

> **"Roedd yr arogl yn ffiaidd. Yn waeth na sanau Mussa."** (t.25)

Mae Bibi hefyd yn gymeriad llawn hiwmor. Pan mae Bibi yn gwylltio nid yw hi'n gallu rheoli'r hyn mae hi'n ddweud neu weiddi e.e.

> **"talpiau meddal o gaca camel"** (t.10)
> **"gwranda'r cynffon asyn"** (t.126)

Creu awyrgylch

Nofel sydd wedi cael ei gosod mewn gwlad sy'n dioddef o effeithiau rhyfel yw hon. Mae'r penodau cyntaf yn bwysig er mwyn i ni ddeall yn union beth yw cefndir y cymeriadau a'r digwyddiadau. Mae'r awdur yn agor y nofel gyda disgrifiad.

> **"Does dim mwg, na nwy nerfau, na stormydd tywod. Does dim ffrwydradau i'w clywed hyd yn oed. Mae hynny'n arbennig o dda."** (t.7)

Mae rhestru'r hyn sydd **ddim** yno yn dechneg effeithiol i bwysleisio pa fath o bethau mae'r plant wedi arfer eu gweld a'u profi.

Yn y bennod gyntaf mae'r awdur yn rhestru llawer o bethau sy'n gallu cael eu cysylltu â rhyfel:

> **mwg, nwy nerfau, ffrwydradau, arogl bomiau, hen gerbyd milwr, taflegryn heb ffrwydro, rhyfelwr, taflegryn scud, crater roced**

Mae plant yn defnyddio geiriau sy'n gyfarwydd iddyn nhw, pethau maen nhw'n eu gweld pob dydd. Mae'r awdur yn y penodau cyntaf yn disgrifio bywyd bob dydd plant yn Afghanistan yn effeithiol iawn.

Disgrifiadau

Mae defnyddio llais plentyn fel naratif yn caniatáu i'r awdur ddefnyddio llawer iawn o ddisgrifiadau byw a lliwgar. Mae llawer iawn o drosiadau a chymariaethau yn cael eu defnyddio i ddisgrifio anturiaethau Jamal a Bibi. Yn aml iawn, rydyn ni'n gweld bod y cymariaethau a'r trosiadau yn dangos i ni pa fath o fywyd mae'r cymeriadau wedi ei fyw, beth maen nhw wedi ei weld a'r profiadau maen nhw wedi eu cael. Dyma rai enghreifftiau:

Cymariaethau	Trosiadau
"Dw i eisiau rhoi gwaedd fel rhyfelwr." "...a'i gwylio'n gwibio heibio i Yusuf fel taflegryn Scud." "a gostwng ei freichiau fel bwncath â bola tost." "Mae Zoltan yn edrych arna i fel petai bom Americanaidd wedi taro fy mhen a drysu fy ymennydd." "Mae sgrechiadau Bibi yn llenwi'r awyr fel adar yr anialwch ar ôl brwydr."	"Dwi'n gwau un ffordd" "Llywio'r bêl" "Mae taflegryn yn ymosod ar fy nghalon." "Dwi'n rhewi. Mae fy ymennydd yn crebachu mewn ofn." "Mae'r metel yn rhoi sgrech erchyll."

Creu tensiwn

Pan mae'r digwyddiadau yn mynd yn gyffrous iawn mae'r awdur yn defnyddio llawer o frawddegau byr er mwyn sicrhau bod y darllenydd yn dilyn yr hyn sy'n digwydd. Enghraifft dda o hyn yw pan mae tad Jamal yn achub ei fam o'r stadiwm:

> **"Mae'r drylliau'n tanio. Dw i'n methu teimlo oherwydd y sioc ac yn methu symud. Mae olwynion y tacsi yn chwyrlïo. Mae'r tacsi'n rhuo'n gyflym yn ei flaen."** (t.80)

Mae'r brawddegau byr yn y rhan yma ac ailadrodd **'mae'** yn gwneud yn siwr bod y digwyddiad yn dod yn fyw i'r darllenydd. Rydyn ni'n gallu gweld sut mae '**dw i**' yn cael ei ailadrodd ar gyfer yr un effaith yn ddiweddarach yn y nofel pan mae'r môr-ladron yn ymosod ar y llong. Yma mae Jamal yn ceisio eu twyllo mai bechgyn yw'r merched:

> **"Dw i'n gwneud arwydd y dylem ni i gyd eistedd. Dw i'n cymryd fy mhêl-droed ac yn dechrau ei bownsio hi o ben-glin i ben-glin. Dw i'n ei tharo o'm pen-glin i ben-glin Rashida. Mae hithau'n ei tharo o'i phen-glin i ben-glin Bibi. Mae Bibi yn ei tharo hi'n ôl i mi. Dw i'n ei tharo hi'n ôl a chyn hir mae rhythm gyda ni."** (t.165)

Er nad ydy'r brawddegau yn y paragraff hwn yn fyr iawn mae'r awdur yn ailadrodd yr un geiriau **"dw i" "pen-glin"** a **"taro"** er mwyn gwneud yn siwr ein bod yn gallu 'gweld' beth sy'n digwydd ac felly yn teimlo tensiwn y digwyddiad.

Deialog

Er mai llais Jamal sy'n cael ei ddefnyddio fel naratif i'r stori – mae llawer o leisiau eraill i'w clywed yn y nofel hefyd. Mae'r ddeialog rhwng y cymeriadau yn bwysig iawn er mwyn i ni ddeall pa fath o gymeriadau ydyn nhw. Rydyn ni'n gallu gweld cymeriad Jamal wrth iddo siarad yn ofalus gyda'i chwaer

> **"Paid a phoeni, fe feddylia i am rywbeth. Cofia am gyfrinach pêl-droed. Paid byth â rhoi'r ffidil yn y to, hyd yn oed pan fydd pethau'n edrych yn ddu."** (t.27)

Mae'r ffordd y mae'r ddeialog wedi cael ei gosod yn dangos sut roedd Jamal yn siarad gyda'i chwaer er mwyn ei chysuro. Mae hyn yn gwrthgyferbynnu'n llwyr gyda'r ffordd y mae Jamal yn siarad gyda'r milwyr ar yr ynys pan mae ei deulu ar goll

> **"'Nawr!' sgrechiaf. 'Cyn iddi fod yn rhy hwyr! Mae pobl yn y môr! Dyw Dad ddim yn gallu nofio!'"** (t.191)

Rydyn ni'n gallu clywed y panig yn llais Jamal ac mae hyn yn cyfleu tensiwn y digwyddiad. Mae llais Bibi yn dod â llawer o hiwmor i'r nofel ac yn dangos ei chymeriad gwyllt a brwdfrydig. Nid yw Bibi yn ofni lleisio ei theimladau ac mae hyn yn cael ei ddangos yn glir gyda beth mae hi'n galw'r rhai sy'n ei digio:

> **"talpiau meddal o gaca camel"**
> **"y bwncath barus"**
> **"baw camel yw'r wlad 'ma"**
> **"gwranda'r cynffon asyn"**
> **"Y llysnafedd o ben ôl llyffant"**
> **"caca camel"**

Symbolaeth y bêl

Mae pêl-droed Jamal yn symbol pwysig yn y nofel. Mae dechrau'r nofel yn gadarnhaol iawn

> **"Fi yw Manchester United ac mae'r bêl gyda fi ac mae popeth yn dda."** (t.7)

Yma mae'r syniad yn cael ei gyflwyno bod 'popeth yn dda' tra bo'r bêl gyda Jamal ond unwaith mae'r bêl yn ei adael mae pethau yn mynd yn anghywir. Gallwn ddilyn prif lwybr y nofel trwy ddilyn stori'r bêl ac mae'r bêl yn achosi llawer o broblemau i Jamal. Ar y llaw arall, mae'r bêl yn symbol o gyfeillgarwch yn y nofel; mae Yusuf yn gadael i Jamal gadw'r bêl, mae Omar yn ei dychwelyd ddwy waith i Jamal ac mae Andrew yn ceisio ymddiheuro i Jamal trwy drwsio'r bêl. Roedd Jamal wedi treulio llawer iawn o amser yn creu ac yn trwsio'r bêl ac mae'n symbol o ofal a chariad

> **"Y bêl dw i wedi rhoi tua miliwn o glytiau arni oherwydd**
> **yr holl ddarnau metel miniog sydd o gwmpas fan hyn.**
> **Y bêl dw i'n ei charu fel chwaer."** (t.20)

Ar ddiwedd y nofel mae'n eironig bod Andrew yn trwsio'r bêl gyda darn o faner Awstralia sydd wedi bod yn arwydd o obaith yn ystod y nofel ond sydd heb groesawu teulu Jamal a'r ffoaduriaid eraill.

10. Esbonio dyfyniadau pwysig

"Fi yw Manchester United ac mae'r bêl gyda fi ac mae popeth yn dda. Does dim mwg, na nwy nerfau, na stormydd tywod. Does dim ffrwydradau i'w clywed hyd yn oed. Mae hynny'n arbennig o dda. Mae arogl bomiau wir yn gallu tynnu dy sylw oddi ar dy sgiliau pêl-droed." (t.7)
Dyma'r rhan gyntaf o'r nofel ac mae'n dangos llawer o bethau sy'n mynd i fod yn bwysig iawn yn y nofel: a) Mae Jamal wrth ei fodd gyda phêl-droed ac mae ar ben ei ddigon pan mae'n cael chwarae pêl-droed. b) Mae Jamal yn freuddwydiwr ac mae'n aml yn disgwyl i'w freuddwydion ddod yn wir. Yn anffodus, yn anaml iawn mae hyn yn digwydd yn y nofel. c) Trwy restru pethau rydyn ni yn eu cysylltu gyda rhyfel yma mae'r awdur yn rhoi darlun eglur i ni o pa fath o awyrgylch mae'r plant wedi arfer chwarae ynddo. ch) Gwrthgyferbyniad – mae'r awdur yn dal ein sylw trwy osod gêm gyffredin o bêl-droed gan enwi tîm cyfarwydd fel Manchester United ochr yn ochr â phethau anghyfarwydd iawn fel '**nwy nerfau**' a '**stormydd tywod**'. Mae hyn hefyd yn pwysleisio'r tebygrwydd rhwng plant ar draws y byd beth bynnag yw eu cefndir. Mae hyn yn gwneud y nofel yn berthnasol i ni.

"Dw i'n syllu i fyny arno, gan wneud fy ngorau glas i weld pa fath o farciau sydd arno, rhai America neu Rwsia neu Brydain neu Iran. Nid bod llawer o wahaniaeth. Alla i ddim cofio pwy sydd ar ein hochr ni eleni beth bynnag.

Pan oeddwn i'n fach ac yn arfer chwarae tanciau gyda chasys bomiau llaw gwag, fe fyddwn bob amser yn peintio'r tanciau da yn lliwiau llachar a'r tanciau drwg yn lliwiau pŵl. Pam na all byddinoedd wneud hynny?" (t.17)

Mae'r dyfyniad yma yn rhoi mwy o syniad i ni o hanes a chefndir Afghanistan. Mae Jamal yn rhestru'r gwledydd sydd wedi bod yn ymladd yno yn ei oes ef – mae hyn yn pwysleisio hyd y rhyfel. Mae'r ffaith nad yw Jamal yn deall pwy yw'r gelyn **ar hyn o bryd** yn pwysleisio nad yw'r rhyfel yn gwneud dim synnwyr iddo. Mae hyn yn ein hatgoffa mai plant sy'n dioddef mewn rhyfel yn aml heb ddeall pam mae'r ymladd yn digwydd. Mae clywed Jamal yn gofyn y cwestiwn rhethregol "pam na allai'r byddinoedd beintio'r tanciau yn lliwiau llachar a'r tanciau drwg yn lliwiau pŵl" fel roedd ef yn ei wneud pan oedd yn fach yn pwysleisio pa mor ddiniwed yw Jamal.

"Ddylai plant naw oed ddim casáu eu gwlad. Dylen nhw garu eu gwlad a dyheu iddi wneud yn dda yng Nghwpan y Byd ac ennill parch gwledydd eraill fel y byddan nhw'n rhoi'r gorau i'n bomio ni." (t.33)

Dyma ymateb Jamal pan mae Bibi yn galw Afghanistan yn **"faw camel"**. Trwy ddefnyddio'r ferf **"dylai"** mae Jamal yn ein hatgoffa bod ei sefyllfa ef a Bibi yn anarferol ac yn wahanol i'n sefyllfa ni yng Nghymru. Dydyn nhw ddim yn gallu teimlo yr un fath am eu cartref â phobl eraill am nad ydyn nhw'n teimlo'n ddiogel ynddo.
Mae Jamal eisiau bywyd 'cyffredin' ac mae'n defnyddio'r syniad o gefnogi pêl-droed yma i gymharu'r ffordd y mae'n teimlo am ei wlad gyda'r ffordd y byddai cefnogwyr pêl-droed eraill yn teimlo am eu gwledydd nhw.

"Dw i'n tynnu anadl mewn rhyfeddod. Mae hyn yn well byth. Llywodraeth garedig sy'n gofalu am ei phobl." (t.98)

"Diolch byth bod Awstraliaid mor wych am feddwl am eraill." (t.185)

Mae'r ddau ddyfyniad yma'n dod o ddwy ran wahanol o'r nofel pan mae Jamal yn breuddwydio am fywyd yn Awstralia. Yn y dyfyniad cyntaf, mae Jamal yng ngwersyll y ffoaduriaid yn siarad gyda Kevin, gweithiwr y Groes Goch am fywyd yn Awstralia. Yn yr ail ddyfyniad mae Jamal wedi cyrraedd y llong ryfel ac yn edrych ymlaen yn fawr at gyrraedd tir Awstralia. Erbyn diwedd y fordaith mae Awstralia yn wlad ddelfrydol i Jamal ac mae'n meddwl y bydd yn ateb pob problem. Mae'r ddau ddyfyniad yma'n eironig o gofio beth ddigwyddodd ar ddiwedd y nofel. Roedd y **"llywodraeth garedig"** wedi bod yn araf yn achub y ffoaduriaid ac wedi gwrthod eu derbyn i mewn i'r wlad oherwydd gwleidyddiaeth.

"'Ydych chi'n gwybod beth yw cyfrinach pêl-droed?' gofynnaf iddo. Mae Andrew yn ysgwyd ei ben. Dwi'n dweud wrtho.
'Peidiwch byth â rhoi'r ffidl yn y to,' meddaf, 'hyd yn oed pan fydd pethau'n edrych yn ddu'." (t.202)

Mae'r ddeialog yma rhwng Jamal ac Andrew yn crynhoi cymeriad Jamal ac yn dangos un o brif themâu'r nofel sef dyfalbarhad. Mae her newydd yn cael ei chynnig i Jamal ymhob pennod ond mae'n llwyddo i oresgyn pob un. Mae Jamal yn llwyddo i ddatrys pob problem ac yn llwyddo i ennill ffrindiau newydd ar y ffordd. Mae diweddglo'r nofel yn hapus – yng ngeiriau Jamal –

"Dw i'n gwybod nad Awstralia yw'r ynys hon mewn gwirionedd, ond mae'n teimlo fel Awstralia i mi." (t.208)

11. Cwestiynau arholiad

Cwestiwn 1

> Mae'r bêl yn mynd yn araf bach tuag at Yusuf. Dyw e ddim hyd yn oed yn esgus 'mod i wedi'i tharo hi'n dda. Dyw e ddim yn cwympo arni na dim. Y cyfan mae'n ei wneud yw codi'r bêl a'i thaflu'n ôl dros fy mhen.
> 'Ymdrech wael.' Mae Aziz yn chwerthin y tu ôl i mi.
> Mae Zoltan yn edrych arna i fel petai bom Americanaidd wedi taro fy mhen a drysu fy ymennydd. 5
> 'Jamal!' medd Zoltan. 'Doedd neb yn fy marcio i!'
> 'Sori,' meddaf, gan aros iddo fe ac Aziz a Mussa wneud sylw cas am chwaraewyr canol cae sy'n meddwl eu bod nhw'n saethwyr ond dydyn nhw ddim. 10
> Ond dydyn nhw ddim yn dweud dim.
> Does neb yn dweud gair.
> Dwi'n sylweddoli nad ydyn nhw'n edrych arna i, hyd yn oed. Maen nhw'n syllu ar rywbeth y tu ôl i mi. Mae eu hwynebau wedi rhewi. Maen nhw'n gegrwth. Maen nhw'n syfrdan.

Darllenwch y darn uchod o **Bachgen yn y Môr**. Yna atebwch y cwestiynau sy'n dilyn yn llawn a gofalus gan ddyfynnu'n bwrpasol.

(a) Ar beth neu pwy mae'r bechgyn yn syllu?
Pam maen nhw wedi dychryn? [3]

(b) Beth sy'n digwydd i'r chwaraewyr pêl-droed yma ar ôl yr olygfa hon? [3]

(c) Ysgrifennwch hanes **un** digwyddiad pwysig o'r nofel sydd wedi aros yn eich cof. Eglurwch beth sy'n digwydd ac yna dywedwch pam mae'r digwyddiad yn bwysig. Peidiwch â sôn am yr olygfa uchod. Dylech ysgrifennu tua 1/2 tudalen. [10]

(ch) Sut **gymeriad** yw Yusuf?
Rhowch enghreifftiau o'r ffordd y mae'n ymddwyn. [6]

(d) *(i)* Edrychwch ar arddull llinell 5 yn y darn.
"Mae Zoltan yn edrych arna i fel petai bom Americanaidd wedi taro fy mhen a drysu fy ymennydd."
Dywedwch pam mae'r darn hwn yn effeithiol. [2]

(ii) Edrychwch ar arddull llinell 12 yn y darn.
"Maen nhw'n gegrwth. Maen nhw'n syfrdan."
Dywedwch pam mae'r darn hwn yn effeithiol. [2]

(iii) Chwiliwch am enghraifft arall o nodwedd arddull yn y darn.
- Dyfynnwch y nodwedd.
- Enwch y nodwedd.
- Dywedwch pam mae'r nodwedd yn effeithiol. [4]

(dd) Dychmygwch mai chi yw Jamal.
Ysgrifennwch **ymson Jamal** ar ddiwedd y nofel.
Dylech ysgrifennu tua 3/4 tudalen. [10]

[40]

Cwestiwn 2

Dw i mewn rhan wahanol o'r gwersyll nawr. Dw i ddim wedi bod yn y rhan yma o'r blaen. Mae'r pebyll fan hyn yn fwy carpiog ac wedi treulio. Mae'r bobl yn wahanol hefyd. Yn lle coginio a siarad ac ysmygu a rhedeg i ffwrdd â pheli troed fel sy'n digwydd yn ein rhan ni o'r gwersyll, mae'r bobl i gyd yn gorwedd. 5

Mae rhai ohonyn nhw'n griddfan.

Maen nhw'n edrych yn sâl.

Mae hyn yn ofnadwy. Mae angen help arnyn nhw.

Beth alla i wneud? Mae ychydig o foddion gyda Mam, ond dim ond at gur pen a boliau tost. A does dim hanner digon i'r holl bobl hyn. 10

Dw i'n edrych o'm cwmpas mewn anobaith. Drwy'r niwlen o lwch, yn y pellter, dw i'n gweld tryciau'n symud yn araf ar hyd heolydd y gwersyll, yn dod â rhagor o bobl i mewn.

Mae un o'r tryciau'n wahanol i'r lleill. Tryc gwyn â chroes goch arno.

Dw i'n gwybod bod cilgant coch yn golygu meddygon. Dw i'n gobeithio bod croes goch yn golygu hynny hefyd. 15

Dw i'n brysio draw at y tryc.

'Stopiwch,' gwaeddaf wrth i mi ddod yn nes.

Mae'r tryc yn fy anwybyddu. Mae'n dal i fynd. Dw i'n rhedeg ar ei ôl, yn ei oddiweddyd, ac yn rhoi ergyd ar ei foned. 20

Darllenwch y darn uchod o **Bachgen yn y Môr**. Yna atebwch y cwestiynau sy'n dilyn yn llawn a gofalus gan ddyfynnu'n bwrpasol.

(a) Pa fath o wersyll yw hwn?
Pam mae'r bachgen yn y gwersyll? [3]

(b) Sut oedd y bachgen wedi cyrraedd y gwersyll? [3]

(c) Ysgrifennwch hanes **un** digwyddiad pwysig o'r nofel a wnaeth i chi deimlo'n drist. Eglurwch beth sy'n digwydd ac yna dywedwch pam mae'r digwyddiad yn drist. Peidiwch â sôn am yr olygfa uchod.
Dylech ysgrifennu tua 1/2 tudalen. [10]

(ch) Sut **gymeriad** yw Jamal?
Rhowch enghreifftiau o'r ffordd y mae'n ymddwyn. [6]

(d) *(i)* Edrychwch ar arddull llinellau 6-7 yn y darn.
"Mae rhai ohonyn nhw'n griddfan.
Maen nhw'n edrych yn sâl."
Dywedwch pam mae'r darn hwn yn effeithiol. [2]

(ii) Edrychwch ar arddull llinell 9 yn y darn.
"Beth alla i wneud? Mae ychydig o foddion gyda Mam..."
Dywedwch pam mae'r darn hwn yn effeithiol. [2]

(iii) Chwiliwch am enghraifft arall o nodwedd arddull yn y darn.
• Dyfynnwch y nodwedd.
• Enwch y nodwedd.
• Dywedwch pam mae'r nodwedd yn effeithiol. [4]

(dd) Dychmygwch mai chi yw mam Jamal.
Ysgrifennwch **ymson mam Jamal** ar ddiwedd y nofel.
Dylech ysgrifennu tua 3/4 tudalen. [10]

[40]

Cwestiwn 3

'Cic gosb,' medd Bibi, a'i llygaid yn pefrio. Mae hi'n camu 'nôl, yn codi gwaelod ei sgert, yn rhedeg at y bêl ac yn ei chicio.
Yn galed.
Mae'r bêl yn hedfan i fyny'r stryd. Am eiliad ofnadwy dw i'n meddwl ei bod hi'n mynd i dorri'r unig ffenest sydd gan Mr Nasser heb ei thorri. 5
Ond mae hi'n gwyro draw o'i dŷ ef ac yn hwylio'r holl ffordd i fyny'r stryd.
Ac yn taro'n galed ar ddrws ein tŷ ni.
Dyma'r gic fwyaf anhygoel i mi ei gweld erioed.
'Waw', sibrydaf.
Wedyn dyma ein tŷ ni'n ffrwydro. 10
Mae fflach wen yn goleuo'r pentref i gyd, a hanner yr anialwch hefyd. Mae rhu o wynt yn ein taro ac yn ein bwrw i'r llawr. Dw i'n rholio ar ben Bibi ac yn ceisio gorchuddio cymaint ohoni ag y gallaf â'm corff wrth i'r awyr ruthro atom ac wrth i'r cerrig ddisgyn fel glaw arnom. Mae pobl yn sgrechian ac yn rhedeg o'u tai. 15
'Cer oddi arna i,' gwaedda Bibi. 'Rwyt ti'n gwasgu fy mhen.'
Dw i'n rholio drosodd ac yn syllu i lawr y stryd drwy'r llwch.
Mae ein tŷ ni wedi mynd. Dim ond bwlch tywyll sydd rhwng y tai eraill lle roedd y tŷ'n arfer bod. Mae rwbel lle roedd Dad yn arfer parcio'r tacsi.

Darllenwch y darn uchod o **Bachgen yn y Môr**. Yna atebwch y cwestiynau sy'n dilyn yn llawn a gofalus gan ddyfynnu'n bwrpasol.

(a) Pam mae tŷ'r plant wedi ffrwydro? [3]

(b) Pam na fyddech chi'n disgwyl i'r ddau blentyn fod yn chwarae pêl-droed? [3]

(c) Ysgrifennwch hanes **un** digwyddiad cyffrous o'r nofel. Eglurwch beth sy'n digwydd ac yna dywedwch pam mae'r digwyddiad yn gyffrous. Peidiwch â sôn am yr olygfa uchod. Dylech ysgrifennu tua 1/2 tudalen. [10]

(ch) Sut **gymeriad** yw Bibi?

Rhowch enghreifftiau o'r ffordd y mae'n ymddwyn. [6]

(d) *(i)* Edrychwch ar arddull llinell 4 yn y darn.

"Mae'r bêl yn hedfan i fyny'r stryd."

Dywedwch pam mae'r darn hwn yn effeithiol. [2]

(ii) Edrychwch ar arddull llinell 14 yn y darn.

"wrth i'r cerrig ddisgyn fel glaw arnom"

Dywedwch pam mae'r darn hwn yn effeithiol. [2]

(iii) Chwiliwch am enghraifft arall o nodwedd arddull yn y darn.

- Dyfynnwch y nodwedd.
- Enwch y nodwedd.
- Dywedwch pam mae'r nodwedd yn effeithiol. [4]

(dd) Dychmygwch mai chi yw Jamal.

Ysgrifennwch **ymson Jamal** ar ddiwedd y nofel.

Dylech ysgrifennu tua 3/4 tudalen. [10]

[40]

Cwestiwn 4

Dw i'n deffro.
Dw i'n teimlo'n stiff ac yn ddrewllyd ac yn boenus ac yn llwglyd, ond mae rhywbeth yn teimlo'n dda. Dw i'n sylweddoli beth yw e.
Dw i ddim yn sâl môr rhagor.
Dw i'n codi pen Bibi oddi ar fy ysgwydd, gan ofalu peidio â'i deffro hi, 5
ac yn ei osod yn dyner ar ysgwydd Rashida. Yna dw i'n sefyll ac yn ymestyn fy nghoesau'n boenus a syllu'n ddiolchgar ar y wawr sy'n troi'r môr gwastad yn anialwch euraid.
Dw i'n sylweddoli rhywbeth arall sy'n dda.
Mae'r injan wedi stopio. 10
Mae'r tawelwch yn hyfryd ar ôl tri diwrnod a thair noson o dwrw a phwffian. Y cyfan dw i'n gallu'i glywed yw sŵn y dŵr yn taro yn erbyn y cwch a babanod yn crio'n dawel. Ac, yn sydyn, smyglwyr yn gweiddi.
Mae'r tri smyglwr yn sefyll o flaen eu caban a'r morwyr o'u cwmpas.
Cawl nwdls, meddyliaf yn hapus. Maen nhw'n rhoi rhagor o gawl 15
nwdls i ni. Ond ble mae'r crochan? 'Mae camgymeriad wedi digwydd', gwaedda'r prif smyglwr, gan chwifio llond dwrn o docynnau hwylio. 'Maen nhw wedi codi'r pris anghywir arnoch chi. Er mwyn cyrraedd Awstralia rhaid i bob un dalu can doler arall.'

Darllenwch y darn uchod o **Bachgen yn y Môr**. Yna atebwch y cwestiynau sy'n dilyn yn llawn a gofalus gan ddyfynnu'n bwrpasol.

(a) Esboniwch ble mae Jamal a pham mae yno? [3]

(b) Pwy sy'n teithio gyda Jamal? [3]

(c) Ysgrifennwch hanes **un** digwyddiad pwysig o'r nofel sydd wedi aros

yn eich cof. Eglurwch beth sy'n digwydd ac yna dywedwch pam mae'r digwyddiad yn bwysig. Peidiwch â sôn am yr olygfa uchod.
Dylech ysgrifennu tua 1/2 tudalen. [10]

(ch) Sut **gymeriad** yw Rashida?
Rhowch enghreifftiau o'r ffordd y mae'n ymddwyn. [6]

(d) *(i)* Edrychwch ar arddull llinell 2 yn y darn.
"*Dw i'n teimlo'n stiff ac yn ddrewllyd ac yn boenus ac yn llwglyd.*"
Dywedwch pam mae'r darn hwn yn effeithiol. [2]

(ii) Edrychwch ar arddull llinell 7 a 8 yn y darn.
"*a syllu'n ddiolchgar ar y wawr sy'n troi'r môr gwastad yn anialwch euraid.*"
Dywedwch pam mae'r darn hwn yn effeithiol. [2]

(iii) Chwiliwch am enghraifft arall o nodwedd arddull yn y darn.
- Dyfynnwch y nodwedd.
- Enwch y nodwedd.
- Dywedwch pam mae'r nodwedd yn effeithiol. [4]

(dd) Dychmygwch mai chi yw Bibi.
Ysgrifennwch **ymson Jamal** ar ddiwedd y nofel.
Dylech ysgrifennu tua 3/4 tudalen. [10]

[40]

12. Atebion enghreifftiol i'r cwestiynau

Cwestiwn Enghreifftiol 1

(a) **Ar beth neu bwy mae'r bechgyn yn syllu? Pam maen nhw wedi dychryn?** **[3]**

Prif bwyntiau i'w cynnwys wrth ateb:

- Mae'r bechgyn yn syllu ar Bibi, chwaer Jamal, sydd wedi penderfynu ymuno â nhw i chwarae pêl-droed.
- Maen nhw wedi dychryn oherwydd maen nhw'n ofni'r Llywodraeth yn Afghanistan a'r hyn y bydden nhw'n ei wneud pe bydden nhw'n darganfod Bibi.
- Y rhesymau maen nhw'n ofni'r llywodraeth yw:
  Nid ydy merched yn cael gadael y tŷ heb eu rhieni.
  Mae'n rhaid i ferched guddio eu hwynebau bob amser pan fyddan nhw allan o'r tŷ.
  Mae'n anghyfreithlon i ferched chwarae pêl-droed.

(b) **Beth sy'n digwydd i'r chwaraewyr pêl-droed yma ar ôl yr olygfa hon?** **[3]**

Gellir sôn am ddigwyddiadau megis:

- Gweddill y bechgyn (oni bai am Jamal ac Yusuf) yn dianc yn ôl i'r pentref am eu bod wedi dychryn.
- Bibi yn saethu'r bêl ymhell ac mae'r bêl yn diflannu.
- Darganfod y bêl o dan danc rhyfel. Wrth iddyn nhw geisio achub y bêl mae baril gwn y tanc yn cychwyn symud tuag atyn nhw ond mae Jamal yn llwyddo i gael y bêl.
- Wrth geisio dianc mae Bibi yn llithro ar ffrwydryn tir – mae Jamal yn ei hachub drwy newid lle gyda hi.
- Wrth fynd yn ôl i'r pentref mae tryc yn pasio ac er fod Jamal ac Yusuf yn ceisio cuddio mae Bibi yn taflu cerrig at y tryc.
- Mr Nasser yn eu dal nhw ac yn eu cyhuddo (ar gam) o dorri ei ffenestr. Yn ystod y dadlau mae Jamal yn torri ffenestr Mr Nasser ar ddamwain.

- Tad Jamal yn dod heibio ac yn llwyddo i dawelu Mr Nasser.
- Rhieni Jamal a Bibi yn dweud wrthyn nhw fod yn rhaid i'r teulu ddianc o'r pentref oherwydd bod y Llywodraeth yn gwybod am yr ysgol anghyfreithlon.
- Pan mae Jamal a Bibi yn cuddio yn nhŷ Tad-cu Yusuf mae eu cartref yn cael ei ffrwydro gan y Llywodraeth.

(c) Ysgrifennwch hanes un digwyddiad pwysig o'r nofel sydd wedi aros yn eich cof. Eglurwch beth sy'n digwydd ac yna dywedwch pam mae'r digwyddiad yn bwysig. Peidiwch â sôn am yr olygfa uchod. Dylech ysgrifennu tua 1/2 tudalen. [10]

Ateb enghreifftiol yw hwn. Gellir dewis unrhyw olygfa bwysig o'r nofel.

Un digwyddiad pwysig yn y nofel yw pan mae **mam Jamal a Bibi yn cael ei hachub gan eu tad nhw a hithau am gael ei lladd yn y stadiwm.**

- Roedd tad Jamal wedi gadael Jamal a Bibi yn y tacsi gan eu rhybuddio bod angen iddyn nhw guddio.
- Jamal a Bibi yn gweld y stadiwm yn y pellter ac yn meddwl bod eu tad wedi mynd i weld swyddog pêl-droed am sgiliau arbennig Jamal.
- Jamal a Bibi yn dilyn eu tad i'r stadiwm ac yn gweld bod y stadiwm yn llawn.
- Tryc yn gyrru i ganol y cae a menywod yn cael eu llusgo allan gan filwyr.
- Y menywod yn cael eu cadwyno i'r pyst a drylliau yn cael eu pwyntio tuag atyn nhw.
- Jamal a Bibi yn sylweddoli mai eu mam yw un o'r menywod ac yn sylweddoli ei bod wedi cael ei harestio gan y Llywodraeth am yr ysgol oedd hi yn ei chynnal yn eu cartref.
- Tacsi yn gyrru i'r stadiwm, yn gwneud cylch o flaen y milwyr ac yn taflu caniau o olew ar dân tuag atyn nhw.
- Y tacsi (oedd yn cael ei yrru gan dad Jamal a Bibi) yn llwyddo i achub eu mam a gyrru allan o'r stadiwm.
- Jamal a Bibi yn dianc o'r stadiwm ar frys er mwyn mynd yn ôl i ble'r oedd eu tad wedi eu gadael.

(ch) **Sut gymeriad yw Yusuf?**
Rhowch enghreifftiau o'r ffordd y mae'n ymddwyn. **[6]**

Gellir sôn am nodweddion cymeriad megis:

- Mae Yusuf yn gymeriad **ffyddlon**. *Rydyn ni'n gwybod hyn oherwydd* ei fod yn ffrind ffyddlon i Jamal a Bibi. Mae gweddill ffrindiau Jamal yn dianc yn gyflym pan welant Bibi yn ymuno â nhw i chwarae pêl-droed ond mae Yusuf yn aros gyda nhw.

- Mae Yusuf bob amser yn **barod i helpu.** *Gwelwn enghraifft o hyn pan mae* Jamal yn gofyn iddo fynd â Bibi yn ôl i'r pentref wedi iddo lithro ar y ffrwydryn tir. Mae Yusuf yn ufuddhau yn syth heb ofyn dim cwestiynau.

- Mae Yusuf yn gymeriad **dewr.** *Mae hyn yn amlwg oherwydd* mae Yusuf wedi dioddef yn fwy na neb oherwydd y rhyfel yn Afghanistan am ei fod wedi colli coes oherwydd ffrwydryn tir ac am ei fod wedi colli ei rieni. Er hynny, mae Yusuf yn parhau i chwarae gyda'r bechgyn a byw bywyd yn llawn.

- Mae Yusuf yn gymeriad **teg**. *Gwelwn enghraifft o hyn pan mae* Mr Nasser wedi eu cyhuddo o dorri ei ffenestr. Er fod Yusuf yn dawel a chwrtais fel arfer gwelwn ei fod yn fodlon dadlau gyda Mr Nasser gan ei fod yn gwybod nad oedd Jamal yn euog o dorri'r ffenestr. Mae'n dadlau fod Jamal yn 'chwarae'n rhy dda i dorri ffenestr'.

- Mae Yusuf yn gymeriad **di-gŵyn.** *Rydyn ni'n gwybod hyn oherwydd* er ei fod wedi cael bywyd caled mae'n gwrthod cwyno. Pan mae Jamal yn dweud ei fod ef a Bibi yn lwcus o gymharu â llawer gan fod ganddynt do ar eu tŷ, dwy goes a dau riant yn fyw yr unig ateb sydd gan Yusuf yw fod ef hefyd yn lwcus gan fod ganddo do ar ei dŷ.

- Mae Yusuf yn gymeriad **caredig**. *Un enghraifft o hyn yw* pan mae pêl Yusuf wedi ffrwydro gyda chartref Jamal a Bibi ac mae Jamal yn rhoi ei bêl ef iddo yn ei lle. Mae Yusuf yn gwrthod cymryd y bêl gan ddweud bod mwy o angen y bêl ar Jamal a Bibi.

(d)* *(i) **Edrychwch ar arddull llinell 5 yn y darn.**
"Mae Zoltan yn edrych arna i fel petai bom Americanaidd wedi taro fy mhen a drysu fy ymennydd."
Dywedwch pam mae'r darn hwn yn effeithiol. [2]

Mae'r **gymhariaeth** 'fel petai bom Americanaidd wedi taro fy men a drysu fy ymennydd' yn effeithiol oherwydd mae'n pwysleisio bod rhyfel yn rhywbeth pob dydd i blant Afghanistan. Mae Jamal wedi cael ei fagu yng nghysgod rhyfel ac mae gwrthrychau rhyfel fel 'bomiau Americanaidd' mor gyffredin iddo mae'n eu defnyddio yn ei sgwrs bob dydd. Mae hyd yn oed gêm gyffredin o bêl-droed yn cael ei heffeithio gan y rhyfel.

(ii) **Edrychwch ar arddull llinell 12 yn y darn.**
"Maen nhw'n gegrwth. Maen nhw'n syfrdan."
Dywedwch pam mae'r darn hwn yn effeithiol.

[2]

Rydw i'n meddwl bod y dyfyniad yma'n effeithiol am ei fod yn cynnwys **brawddegau byr** ac **ansoddeiriau** diddorol. Mae'r ddwy frawddeg fyr yma yn cyfleu teimladau Jamal am ei fod wedi dychryn. Mae'r ansoddeiriau 'cegrwth' a 'syfrdan' yn pwysleisio faint oedd ei ffrindiau wedi dychryn. Gyda'i gilydd mae'r ddwy frawddeg yma yn dangos yr ofn oedd y Llywodraeth yn llwyddo i'w godi ar y plant.

(iii) **Chwiliwch am enghraifft arall o nodwedd arddull yn y darn.**
- **Dyfynnwch y nodwedd.**
- **Enwch y nodwedd.**
- **Dywedwch pam mae'r nodwedd yn effeithiol.**

[4]

Rydw i wedi dewis **deialog** fel nodwedd arddull effeithiol yn y dyfyniad hwn.
Mae'r ddeialog yma e.e:
"Ymdrech wael" a *"Jamal, does neb yn fy marcio i"*
yn sicrhau bod yr olygfa yn realistig. Mae'r ddeialog yn llwyddo i gyfleu

cyffro'r gêm ac yn gwneud i ni sylweddoli bod y bechgyn hyn yr un fath â bechgyn ar draws y byd. Mae'r ddeialog yn gwneud yr olygfa yn berthnasol i ni.

Yn ogystal â hyn mae'r ddeialog yn **gwrthgyferbynnu** gyda'r tawelwch sy'n dilyn unwaith mae'r bechgyn yn sylweddoli bod Bibi wedi ymuno â nhw.

(dd) **Dychmygwch mai chi yw Jamal.**
Ysgrifennwch ymson Jamal ar ddiwedd y nofel.
Dylech ysgrifennu tua 3⁄4 tudalen. [10]

Rhaid gwneud yn amlwg:

- Diddordeb ac uchelgais Jamal mewn pêl-droed.
- Ffyddloneb Jamal i'w deulu.
- Jamal sy'n ysgrifennu'r ymson (*Rydw i/Dw i...*) a bod yr ysgrifennu yn digwydd yn y presennol (*Teimlaf i...)*

Gellir sôn am ddigwyddiadau penodol fel y canlynol:

- Y ffoaduriaid heb gyrraedd Awstralia ond yn cael eu dal ar ynys fechan oddi ar arfordir Awstralia.
- Hapusrwydd Jamal fod y teulu gyda'i gilydd unwaith eto.
- Hiraeth Jamal am ei ffrind Yusuf.
- Y ffoaduriaid yn cael eu hachub gan long y llynges yn y pen draw ond nid oeddynt wedi cael eu hachub yn syth.
- Profiadau'r fordaith:
  - wedi colli eu rhieni ar ddechrau'r fordaith
  - cwrdd â Rashida a'r cymorth oedd hi wedi ei roi i'r plant
  - y môr-ladron
  - pobi bara
  - y cwch yn suddo
- Teimladau Jamal tuag at Omar a'r hyn oedd wedi digwydd i'r bêl cyn y fordaith.
- Y daith i'r llong ar yr awyren a sylweddoli bod ei fam wedi gwerthu canhwyllbren ei hynafiaid.
- Y gwersyll ffoaduriaid, colli ei deulu a sylweddoli bod yr heddlu yn rhan o'r smyglo.

- Ei dad yn achub ei fam o'r stadiwm yn y tacsi gyda Jamal a Bibi yn gweld y digwyddiad o'r eisteddle.
- Gorfod dianc o'u cartref oherwydd yr ysgol anghyfreithlon. Wedi llwyddo i ddianc cyn i'w tŷ ffrwydro.
- Gwylio pêl-droed ar deledu anghyfreithlon lloeren tad-cu Yusuf.
- Ffenestr Mr Nasser wedi torri.
- Bibi yn cael ei dal ar ffrwydryn tir a Jamal yn newid lle gyda hi
- Bibi yn ymuno â'r gêm bêl-droed ac yn cicio'r bêl mor bell fel ei bod yn diflannu o dan danc rhyfel.

Cwestiwn Enghreifftiol 2

(a) **Pa fath o wersyll yw hwn?**
Pam mae'r bachgen yn y gwersyll? **[3]**

Prif bwyntiau i'w cynnwys wrth ateb:

- Gwersyll i ffoaduriaid yn Afghanistan yw'r gwersyll yn y dyfyniad.
- Mae'r ffoaduriaid yn y gwersyll am eu bod eisiau dianc i wlad arall. Yn y gwersyll yma mae'r ffoaduriaid yn aros am ran nesaf eu taith.
- Mae Jamal a'i deulu yn y gwersyll am eu bod yn ceisio dianc i Awstralia er mwyn cael bywyd gwell.
- Yn y gwersyll mae tad Jamal yn bwriadu talu i smyglwyr eu cludo i Awstralia.
- Y rheswm mae Jamal a'i deulu yn gorfod dianc o Afghanistan yw oherwydd bod ei rieni wedi bod yn cynnal ysgol anghyfreithlon yn eu cartref. Roedd y Llywodraeth wedi darganfod yr ysgol ac wedi ffrwydro eu cartref. Mae'n rhaid i Jamal a'i deulu adael y wlad er mwyn achub eu bywydau.

(b) **Sut oedd y bachgen wedi cyrraedd y gwersyll?**

[3]

Gellir sôn am y dulliau teithio a ddefnyddiwyd:

- Ar ôl cuddio am noson yn nhŷ tad-cu Yusuf roedd Jamal, Bibi a'u tad wedi gadael eu pentref yn **nhacsi** eu tad.
- Roedd tad Jamal a Bibi wedi achub eu mam o'r stadiwm a rhag cael ei dienyddio gan ddefnyddio ei dacsi.
- Ar ôl achub eu mam roedd y teulu bellach yn barod i barhau i adael y brifddinas yn y **tacsi** unwaith eto.
- Mae'r tad yn gwerthu'r tacsi am arian ac yn cwblhau'r daith i'r gwersyll yng nghefn **tryc** ac yn cuddio o dan sachau.

(c) **Ysgrifennwch hanes un digwyddiad pwysig o'r nofel sydd wedi aros yn eich cof. Eglurwch beth sy'n digwydd ac yna dywedwch pam mae'r digwyddiad yn bwysig. Peidiwch â sôn am yr olygfa uchod.**
Dylech ysgrifennu tua 1/2 tudalen. **[10]**

Ateb enghreifftiol yw hwn. Gellir dewis unrhyw olygfa bwysig o'r nofel.

Un digwyddiad pwysig yn y nofel yw'r olygfa **pan mae'r ffoaduriaid yn aros yn y porthladd am y cwch.**

- Mae'r ddau gwch pysgota yr ochr draw i ffens y porthladd ac mae Jamal a Bibi wedi diflasu yn aros i gael mynd ar y cwch felly maen nhw'n penderfynu chwarae pêl-droed.
- Mae Omar yn taclo Jamal ac yn dadlau mai ei bêl ef yw hi. Mae Bibi yn cychwyn gweiddi arno ac mae'r tri yn ceisio gafael ar y bêl ond mae Bibi yn rhoi cic iddi ac mae'r bêl yn bownsio dros y ffens ac i'r cei.
- Mae'r gatiau yn agor ac mae pawb yn rhuthro ymlaen i ddal y cwch ond mae Bibi yn benderfynol o gael y bêl.
- Mae Bibi yn penderfynu mynd i nôl y bêl gyda darn hir o bren. Mae Jamal yn ceisio ei rhybuddio i beidio gan ddweud y byddan nhw'n colli eu rhieni ond nid yw Bibi yn gwrando.
- Mae'r bachgen yn cymryd y ffon o ddwylo Bibi er mwyn ceisio ei helpu ond mae'n llithro i'r dŵr.
- Er bod Jamal yn gweiddi am help nid oes neb yn gwrando ond mae Jamal yn gweld morwr gyda pholyn sy'n ddigon hir i achub y bachgen. Mae'n ceisio gafael ar y polyn ond mae'r morwr yn taro Jamal yn ei wyneb.
- Mae Bibi yn ceisio helpu Jamal drwy ymosod ar y morwr ond mae'r morwr yn gafael ynddi gan ei thaflu dros ochr y cwch i'r dŵr.
- Mae Jamal yn neidio i'r dŵr ar ôl Bibi ac yn llwyddo i gael gafael arni ond yn methu cicio digon i ddod â'r ddau ohonyn nhw i wyneb y dŵr. Mae polyn y morwr yn cael ei ddefnyddio i'w tynnu ar ddec y cwch.
- Maen nhw ar y dec gyda'r cwch yn symud ac mae Jamal yn sylweddoli nad yw eu rhieni gyda nhw ond ar y cwch arall. Mae Jamal yn gweiddi mewn panig ar y cwch arall droi'n ôl ond 'does neb i'w weld yn gwrando.

- Er mwyn achub eu bywydau mae Jamal yn penderfynu mai'r unig ateb yw bod yn amyneddgar ac aros ar y cwch gan weld eu rhieni unwaith eto ar dir sych Awstralia.
- Mae Omar yn ymddangos ar y cwch gan gynnig y bêl wlyb i Jamal.

(ch) **Sut gymeriad yw Jamal?**
Rhowch enghreifftiau o'r ffordd y mae'n ymddwyn.

[6]

Gellir sôn am nodweddion cymeriad megis:

- Mae Jamal yn gymeriad **teg**. *Rydyn ni'n gwybod hyn oherwydd* pan mae Bibi yn ymuno â gêm bêl-droed y bechgyn yn y bennod gyntaf mae Jamal yn ceisio peidio â gwylltio gyda hi.

- Mae Jamal yn gymeriad **gofalus** iawn. Enghraifft dda o hyn yw'r modd y mae'n gofalu am Bibi drwy'r nofel. Rydyn ni'n gallu gweld cymaint mae'n poeni am ei chwaer ar ôl i Bibi ddiflannu i chwilio am y bêl heibio i'r crater roced yn yr anialwch.

- Mae Jamal yn gymeriad **dewr.** *Mae hyn yn amlwg* yn yr olygfa pan mae'n sefyll o flaen y tanc a mynnu cael ei bêl yn ôl er gwaethaf ei ofn. Rydyn ni'n gweld yr un dewrder gan Jamal pan mae'n mynnu cymryd lle Bibi ar y ffrwydryn tir er mwyn achub ei bywyd.

- Mae Jamal yn gymeriad **breuddwydiol** ar adegau. *Gwelwn enghraifft o hyn* y noson cyn iddyn nhw ddianc o'r pentref pan mae Jamal a Bibi yn cuddio yn nhŷ tad-cu Yusuf. Wrth wylio pêl-droed ar deledu lloeren mae Jamal yn penderfynu y bydd yn gallu achub ei deulu trwy ddod yn seren bêl-droed.

- Mae Jamal yn gymeriad **deallus.** *Rydyn ni'n gwybod hyn oherwydd* ar ôl i'w rieni gyrraedd yn ôl i'r siop wedi digwyddiad y stadiwm mae tad Jamal yn cychwyn peintio drws gwyrdd y tacsi yn goch. Mae Jamal yn sylweddoli ar unwaith pam mae'n gwneud hynny ac yn dal diferion y paent rhag ofn iddyn nhw adael cliwiau i'r heddlu.

- Mae Jamal yn gymeriad **penderfynol**. *Un enghraifft o hyn yw* pan mae ton enfawr yn torri ar ddec y cwch ac mae Jamal yn gweithio'n galed i geisio sicrhau nad ydy'r cwch yn suddo. Mae'n meddwl am hynafiaid ei dad a oedd yn bobyddion ac yn pobi pob bore pan oedden nhw angen mwy o gwsg ac mae'n benderfynol o beidio rhoi'r ffidil yn y to.

(d) ***(i)*** **Edrychwch ar arddull llinellau 6-7 yn y darn.**
"Mae rhai ohonyn nhw'n griddfan.
Maen nhw'n edrych yn sâl."
Dywedwch pam mae'r darn hwn yn effeithiol. **[2]**

Mae'r ddwy **frawddeg fyr** yma yn tynnu sylw'r darllenydd ac yn pwysleisio pa mor erchyll yw'r amodau yn y gwersyll. Mae'r ddwy frawddeg yn syml iawn ac yn ddi-addurn fel y gwersyll ei hun. Mae Jamal wedi dychryn gyda beth mae'n ei weld ac mae'r brawddegau byr yma yn dangos hyn yn eglur i ni. Rydw i'n hoffi'r defnydd o'r **berfenw** 'griddfan' gan ei fod yn dangos y boen y mae'n rhaid i'r ffoaduriaid ei dioddef.

(ii) **Edrychwch ar arddull llinell 9 yn y darn.**
"Beth alla i wneud? Mae ychydig o foddion gyda Mam..."
Dywedwch pam mae'r darn hwn yn effeithiol.
[2]

Rydw i'n meddwl bod y dyfyniad yma'n effeithiol am ei fod yn dangos cymeriad Jamal yn wych i ni. Mae Jamal yn poeni am eraill ac mae'r hyn mae wedi ei weld yn y gwersyll wedi ei ddychryn. Gyda'r **cwestiwn rhethregol** 'Beth alla i wneud?' rydyn ni'n gweld yn syth bod Jamal eisiau rhoi cymorth i'r bobl sydd o'i gwmpas. Mae'r ateb sydd ganddo yn effeithiol am ei fod yn pwysleisio pa mor ddiniwed yw Jamal mewn gwirionedd – ni fyddai posib rhoi cymorth i lawer o neb gyda'r moddion mae ei fam yn eu cario.

(iii) **Chwiliwch am enghraifft arall o nodwedd arddull yn y darn.**
• Dyfynnwch y nodwedd.
• Enwch y nodwedd.
• Dywedwch pam mae'r nodwedd yn effeithiol.

[4]

Rydw i wedi dewis **rhestru a gwrthgyferbynnu** fel nodweddion arddull effeithiol yn y dyfyniad hwn:

"Yn lle coginio a siarad ac ysmygu a rhedeg i ffwrdd â pheli troed fel sy'n digwydd yn ein rhan ni o'r gwersyll, mae'r bobl i gyd yn gorwedd."

Mae **rhestru'r berfenwau** *"coginio a siarad ac ysmygu a rhedeg"* yn dangos y prysurdeb oedd yn y gwersyll ffoaduriaid. Mae'n pwysleisio fod pobl o bob math yno a'u bod yn obeithiol am eu dyfodol. Mae hyn yn effeithiol iawn pan welwn sut y mae'n **gwrthgyferbynnu** gyda'r modd y mae pobl yn *"gorwedd"* yn y rhan o'r gwersyll y mae Jamal ynddo ar hyn o bryd. Effaith hyn yw dangos yn eglur beth sy'n digwydd i'r ffoaduriaid ar ôl bod yn y gwersyll am gyfnod. Mae hyn yn pwysleisio pa mor anodd yw'r amodau yn y gwersyll.

(dd) **Dychmygwch mai chi yw mam Jamal.**
Ysgrifennwch ymson mam Jamal ar ddiwedd y nofel.
Dylech ysgrifennu tua 3⁄4 tudalen. **[10]**

Rhaid gwneud yn amlwg:

- Ei phryder am y dyfodol gan nad ydyn nhw wedi cyrraedd Awstralia.
- Ei chariad at ei theulu.
- Mam Jamal sy'n ysgrifennu'r ymson (*Rydw i/Dw i...*) a bod yr ysgrifennu yn digwydd yn y presennol (*Teimlaf i...*)

Gellir sôn am ddigwyddiadau penodol fel y canlynol:

- Y ffoaduriaid heb gyrraedd Awstralia ond yn cael eu dal ar ynys fechan oddi ar arfordir Awstralia.
- Ei hapusrwydd fod y teulu gyda'i gilydd unwaith eto.
- Teimlo'n ffodus eu bod wedi cael eu hachub. Y mwyafrif o'r ffoaduriaid oedd ar eu cwch nhw wedi boddi.

- Y plant (Jamal a Bibi) wedi bod ar yr ynys ar eu pen eu hunain am gyfnod ac yn meddwl bod eu rhieni wedi marw.
- Teimlo'n ddiolchgar i Rashida am ofalu am ei phlant yn ystod y fordaith.
- Ei phryder ar hyd y fordaith am fod ei phlant ar y cwch arall.
- Ei theimladau pan welodd fod y plant wedi disgyn i'r cei ac yna'n cael eu hachub gan gwch arall.
- Ei theimladau am y ffaith ei bod wedi gorfod gwerthu canhwyllbren hynafiaid y teulu (oedd yn ôl traddodiad yn gwarchod y teulu) er mwyn cael arian i deithio.
- Profiadau'r gwersyll ffoaduriaid a'r daith wedyn.
- Cael ei harestio gan y Llywodraeth ac yna ei chludo i'r stadiwm i gael ei dienyddio. Cael ei hachub gan ei gŵr o dan drwynau milwyr y Llywodraeth.
- Gorfod dianc o'u cartref oherwydd yr ysgol anghyfreithlon.
- Ei rhesymau dros gynnal yr ysgol anghyfreithlon yn y tŷ.
- Dangos adnabyddiaeth o gymeriad ei phlant; Jamal yn ddewr ac yn hoffi pêl-droed, Bibi yn cicio yn erbyn y tresi ac yn gwrthod ymddwyn fel y disgwylid i ferch ymddwyn yn Afghanistan ayb.

13. Cwis

1. **Jamal yw prif gymeriad y nofel. Nodwch 3 ffaith am Jamal:** **(3)**

   a)

   b)

   c)

2. **Pa un o'r rhain sydd ddim yn enw ar ffrind oedd yn chwarae pêl-droed gyda Jamal ar ddechrau'r nofel?** **(1)**

   a) Aziz

   b) Babur

   c) Zoltan

3. **Pan mae Jamal yn gweld y tanc yn yr anialwch mae'n ceisio gweld a yw'r tanc yn perthyn i'r gelyn ai peidio. Mae Jamal yn enwi 4 perchennog (gwlad) posibl. Allwch chi enwi 2 o'r gwledydd hyn?** **(2)**

   a)

   b)

4. **Ar ôl eu hanturiaethau yn yr anialwch mae Jamal, Bibi a Yusuf yn cerdded yn ôl i'r pentref. Mae tryc yn pasio ac mae Bibi yn taflu cerrig ato.**
   Ydych chi'n cofio pam mae Bibi yn taflu'r cerrig? **(2)**

5. **Beth oedd enw'r dyn cas oedd yn cyhuddo Jamal, Bibi a Yusuf o dorri ei ffenestr ar eu ffordd yn ôl o'r anialwch?** **(1)**

6. **Pam mae'n rhaid i Jamal, Bibi a'u rhieni adael eu cartref?** **(2)**

7. **Pa un o'r swyddi hyn sydd ddim yn swydd i dad Jamal? (1)**

a) postmon

b) gyrrwr tacsi

c) pobydd

8. **Sut mae tad-cu Yusuf yn llwyddo i weld gemau pêl-droed? (1)**

9. **Yn y tacsi, pan maen nhw ar eu ffordd i'r ddinas i achub eu mam, mae Jamal yn gweld rhywbeth arall sy'n dangos sut mae'r Llywodraeth yn rheoli'n llym? Ydych chi'n cofio beth? (2)**

10. **Sut mae'r menywod yn cyrraedd y stadiwm bêl-droed? Beth sy'n digwydd iddyn nhw syth ar ôl cyrraedd? (2)**

11. **Ar ôl digwyddiad y stadiwm bêl-droed mae tad Jamal yn gwybod bod yr heddlu yn ei ddilyn. Mae'n gwneud dau beth i geisio newid edrychiad y car. Dim ond un o'r ddau beth sy'n y rhestr hon – ydych chi'n gallu ei adnabod? (1)**

a) newid plât rhif cofrestru'r car

b) crafu cist y car

c) llenwi'r tyllau bwledi

12. **Ydych chi'n cofio beth arall mae'r tad yn ei wneud i newid y car er mwyn twyllo'r heddlu? (1)**

13. **Mae'r teulu yn defnyddio pum dull o deithio er mwyn dianc. Beth ydyn nhw? (5)**

14. **Sut mae Jamal yn cyfarfod Omar am y tro cyntaf? (2)**

15. **Yn y gwersyll, mae tad Jamal yn talu rhywun er mwyn dianc. Pwy? (1)**

16. Sut mae Jamal yn darganfod bod ei fam wedi gwerthu canhwyllbren hynafiaid y teulu? (1)

17. Pa un o'r enwau hyn <u>dydy</u> Bibi <u>ddim</u> yn ei ddefnyddio i ddisgrifio rhywun sydd wedi ei gwylltio yn y nofel? (1)

a) y tanc twp

b) caca camel

c) y bwncath barus

18. Pa un o'r ansoddeiriau hyn sydd fwyaf addas i ddisgrifio Omar? (1)

a) cwrtais

b) celwyddog

c) swil

19. Rhowch y digwyddiadau hyn yn y drefn maen nhw'n digwydd yn y nofel. (5)

a) cuddio o dan sachau yng nghefn tryc

b) gwylio gemau pêl-droed ar deledu lloeren

c) torri ffenestr ar y ffordd o'r anialwch

ch) gweld y tapiau yn y coed

d) claddu offer yr ysgol anghyfreithlon

20. Rhowch y digwyddiadau hyn yn y drefn maen nhw'n digwydd yn y nofel. (*Maen nhw i gyd yn digwydd ar y fordaith*) (5)

a) y smyglwyr yn gofyn am fwy o arian er mwyn parhau â'r daith

b) Jamal a Bibi yn defnyddio tuniau llysiau i geisio cael dŵr oddi ar ddec y cwch

c) Jamal yn pobi bara gan ddefnyddio'r injan ddisel

ch) y môr-ladron yn ymosod

d) pen-blwydd Bibi

Mae 40 marc ar gael – Pob Lwc!

14. Atebion y cwis

1. **1 marc** am bob ffaith.

   Enghreifftiau:

   ... *yn byw yn Afghanistan*

   ... *yn hoffi pêl-droed*

   ... *ei hoff dîm yw Manchester United*

   ... *mae'n dda yn 'driblo' wrth chwarae pêl-droed*

   ... *enw ei chwaer yw Bibi*

   ... *enw ei ffrind gorau yw Yusuf*

2. **b** Babur (t.7-13)

3. America, Rwsia, Prydain, Iran (t.17)

4. Mae Bibi yn casáu tryciau oherwydd bod tryc wedi mynd â thad ei ffrind Anisa i ffwrdd. (t.33)

5. Mr Nasser (t.35)

6. Mae'r Llywodraeth wedi darganfod yr ysgol anghyfreithlon roedd rhieni Jamal a Bibi yn ei rhedeg (**1 marc**) felly mae'n rhy beryglus iddyn nhw aros yno (**1 marc**). (t.44-45)

7. **a** Postmon

8. Mae ganddo deledu lloeren anghyfreithlon yn ei seler. (t.51)

9. Y tapiau yn y coed – mae bwndeli o gasetiau wedi cael eu gosod ar y polion fel rhybudd i fodurwyr (**1 marc**). Rhybudd yw hwn bod cerddoriaeth wedi cael ei wahardd (**1 marc**). (t.67)

10. Mae'r menywod yn cyrraedd mewn tryc (**1 marc**) ac wedyn maen nhw'n cael eu cadwyno i'r pyst (**1 marc**). (t.76)

11. **c** Llenwi'r tyllau bwledi (t.85-86)

12. Peintio drws gwyrdd y tacsi yn goch. (t.85)

13. a) tacsi (o'u cartref i ben arall y ddinas)
b) cefn tryc (o ben arall y ddinas i'r gwersyll)
c) bws (o'r gwersyll i'r maes awyr)
ch) awyren (o'r maes awyr at y môr)
d) cwch (i gyfeiriad Awstralia)

14. Mae Omar yn ceisio gwerthu dŵr i Jamal yn y gwersyll ffoaduriaid (**1 marc**) ac wedyn yn rhedeg i ffwrdd gyda phêl Jamal (**1 marc**). (t.94)

15. Plismyn/yr heddlu (t.102)

16. Yn y maes awyr mae'r gardiau diogelwch yn chwilio am arfau drwy archwilio bagiau pawb gyda theclyn darganfod metel. Mae bag mam Jamal yn cael ei archwilio ond nid yw'r peiriant yn fflachio nac yn gwneud sŵn. (t.117)

17. **a** Y tanc twp

18. **b** Celwyddog

19. **c** (t.32)
d (t.49)
b (t.50)
ch (t.67)
a (t.88)

20. **c** (t.150)
a (t.156)
d (t.159)
ch (t.164)
b (t.169)